Sara Shepard

Pretty Little Liars

MOOIE MEISJES HEBBEN
SOMS GRUWELIJKE GEHEIMEN...

the house of books

Eerste druk, februari 2007
Tweede druk, juni 2007

Oorspronkelijke titel
Pretty Little Liars

Oorspronkelijke uitgave
HarperCollins

Copyright © 2007 Tekst Sara Shepard en Alloy Entertainment
Copyright voor het Nederlandse taalgebied © 2007 The House of Books,
Vianen/Antwerpen

Vertaling
Sabine Mutsaers

Vormgeving omslag
marliesvisser.nl

Opmaak binnenwerk
Mat-Zet, Soest

ISBN 978 90 443 1787 9
NUR 284/285
D/2007/8899/56

www.thehouseofbooks.com

Voor JSW

Drie personen kunnen een geheim bewaren,
mits twee van hen dood zijn
Benjamin Franklin

HOE HET ALLEMAAL BEGON

Stel je voor, het is een paar jaar geleden, de zomer tussen de eerste en de tweede klas van de middelbare school. Je bent lekker bruin van het zonnen aan jullie met rotspartijen versierde zwembad, je loopt rond in je nieuwe joggingpakje van Juicy Couture (weet je nog dat iedereen die droeg?) en je gedachten zijn bij de jongen die je leuk vindt, van wie we de naam maar niet zullen noemen, die op een andere school zit dan jij en die als bijbaantje spijkerbroeken opvouwt bij Abercrombie in het winkelcentrum. Je eet je chococrispies precies zoals jij ze lekker vindt – met veel magere melk – en dan zie je ineens de foto van een vermist meisje op het melkpak staan. Ze is knap – waarschijnlijk knapper dan jij – en heeft pretlichtjes in haar ogen. Je denkt: *hmm, misschien houdt zij ook wel van zachte, kleffe chococrispies.* En je durft te wedden dat zij de jongen van Abercrombie ook een lekker ding zou vinden. Dan vraag je je af hoe het komt dat iemand die zo… nou ja, die zoveel op jou lijkt, vermist is geraakt. Je dacht dat alleen van die types die aan missverkiezingen meededen op melkpakken terechtkwamen. Niet dus.

Aria Montgomery begroef haar gezicht in het gazon van haar beste vriendin Alison DiLaurentis. 'Verrukkelijk,' mompelde ze.

'Zit je nou aan het gras te ruiken?' riep Emily Fields achter haar, terwijl ze met haar lange, sproetige arm het portier van haar moeders Volvo dichtduwde.

'Het ruikt lekker.' Aria veegde een roze gestreepte lok uit haar ogen en snoof de warme avondlucht op. 'Naar zomer.'

Emily zwaaide haar moeder na en hees de suffe spijkerbroek op die los om haar smalle heupen hing. Emily was al wedstrijdzwemster sinds de puppyzwemles, en ook al stond het Speedo-badpak haar prachtig, ze droeg nooit strakke of leuke kleren zoals de andere meiden in de eerste klas. Dat kwam doordat Emily's ouders altijd zeiden dat karakter van binnenuit moest komen. (Al was Emily er tamelijk zeker van dat je karakter er niet op vooruit zou gaan als je gedwongen werd je korte, strakke T-shirtje met de opdruk IRISH GIRLS DO IT BETTER achteraan in je ondergoedla te verstoppen.)

'Kom op!' Alison draaide pirouettes in de voortuin. Haar haar zat in een slordige paardenstaart en ze liep nog in haar opgestroopte hockeyrokje omdat ze die middag het eindfeest had gehad. Alison was de enige brugklasser die in het team van JV was gekomen; ze mocht meerijden met de oudere meisjes van Rosewood Day Prep School, die keihard Jay-Z draaiden in hun Cherokees en Alison besprenkelden met parfum voordat ze haar thuis afzetten, zodat ze niet meer naar hun sigaretten zou ruiken.

'Mis ik iets?' riep Spencer Hastings, en ze glipte door het gat in Ali's heg om zich bij de anderen te voegen. Spencer woonde naast Alison. Ze zwiepte haar lange, zijdezachte, donkerblonde paardenstaart over haar schouder en nam een slokje uit haar dure paarse waterflesje. Het was Spencer afgelopen herfst niet gelukt om samen met Alison in het JV-team te komen, en nu moest ze genoegen nemen met het team van haar eigen jaargenoten. Ze had een jaar lang keihard getraind om haar hockeykunsten te verbeteren, en de meiden wisten zeker dat ze net nog in de tuin op haar dribbel had geoefend. Spencer kon er niet tegen als iemand ergens beter in was dan zij. Vooral niet als die iemand Alison was.

'Wacht op mij!'

Toen ze zich omdraaiden, zagen ze Hanna Marin uit de Mercedes van haar moeder stappen. Ze struikelde over haar eigen tas en zwaaide wild met haar mollige armen. Sinds haar ouders het jaar daarvoor waren gescheiden, was Hanna langzamerhand steeds dikker geworden en uit al haar kleren gegroeid. Ali sloeg geërgerd haar ogen ten hemel, maar de andere meisjes deden alsof ze het niet zagen. Zo gaat dat met beste vriendinnen.

Alison, Aria, Spencer, Emily en Hanna waren met elkaar bevriend sinds ze het jaar daarvoor door hun ouders waren opgegeven om iedere zaterdagmiddag op school vrijwilligerswerk te doen voor een goed doel; allemaal behalve Spencer, die het écht vrijwillig deed. Misschien had Alison daarvoor al van de andere vier gehoord – zij hadden in ieder geval wel veel over Alison geweten. Ze was volmaakt. Mooi, grappig en slim. Populair. De jongens wilden Alison zoenen en de meisjes – zelfs de oudere – wilden haar *zijn*. Dus de eerste keer dat Ali lachte om een grapje van Aria, de eerste keer dat ze Emily een vraag stelde over zwemmen, dat ze tegen Hanna zei dat ze een mooi truitje aanhad of opmerkte dat Spencer een véél netter handschrift had dan zij, waren ze verkocht. Vóór Ali hadden ze zich foute spijkerbroeken gevoeld, met een hoge taille zoals alleen moeders ze droegen, opvallend om de verkeerde reden, maar dankzij Ali voelden ze zich nu perfecte Stella McCartney-jeans die als gegoten zaten en die niemand kon betalen.

Nu, ruim een jaar later, op de laatste dag van de brugklas, waren ze niet alleen vriendinnen, ze waren hét groepje van Rosewood Day. Er was een hoop gebeurd voor het zover was gekomen. Ieder logeerpartijtje en ieder schoolreisje was een nieuw avontuur geweest. Als ze samen waren, was zelfs het huiswerklokaal gedenkwaardig. (Het voorlezen van een hartstochtelijk briefje van de captain van het roeiteam aan zijn wiskundelerares via de luidsprekers was inmiddels legendarisch op school.) Maar er waren ook dingen die ze allemaal wilden vergeten, en er was één geheim waarover ze echt niet konden praten. Ali zei dat geheimen hun vijfvoudige vriendschap juist voor eeuwig bezegelden. Als dat waar was, waren ze vriendinnen voor het leven.

'Wat ben ik blij dat deze dag voorbij is,' kreunde Alison voordat ze Spencer zachtjes terugduwde door het gat in de heg. 'Kom, dan gaan we naar jullie schuur.' '

'Ik ben blij dat de *brugklas* voorbij is,' zei Aria terwijl ze met Emily en Hanna achter Alison en Spencer aan liep naar de tot gastenverblijf verbouwde schuur/stal waar Spencers oudere zus Melissa haar laatste twee jaar van de middelbare school had gewoond. Gelukkig had ze nu eindexamen gedaan en zou ze die zomer naar Praag vertrekken, dus vanavond hadden de meiden de schuur voor zichzelf.

Opeens hoorden ze een piepstemmetje. 'Alison! Hoi, Alison! Hoi, Spencer!'

Alison draaide zich om naar de straat. 'Echt niet,' fluisterde ze. 'Echt niet,' zeiden Spencer, Emily en Aria haar snel na. Hanna fronste haar voorhoofd. 'Shit.'

Het was een spelletje dat Ali had overgenomen van haar broer Jason, die in het laatste jaar van Rosewood Day zat. Jason en zijn vrienden deden dat altijd op schoolfeesten wanneer ze de meiden bekeken: de laatste die 'echt niet' riep, moest de hele avond het lelijkste meisje bezighouden terwijl zijn vrienden mochten aanpappen met haar knappe vriendinnen; eigenlijk kwam het erop neer dat je daardoor zelf net zo suf en onaantrekkelijk was als dat meisje. In Ali's variant riepen de meiden 'echt niet' zodra er iemand bij hen in de buurt kwam die lelijk of niet cool was, of gewoon iemand die het wat minder goed had getroffen.

Deze keer was 'echt niet' gericht op Mona Vanderwaal – een sloom kind dat verderop in de straat woonde en niets liever deed dan proberen vriendinnen te worden met Spencer en Alison – en haar twee vreselijke vriendinnen Chassey Bledsoe en Phi Templeton. Chassey had de schoolcomputer gehackt en daarna nota bene aan de *directeur* uitgelegd hoe hij het systeem beter kon beveiligen, en Phi Templeton liep altijd rond met een jojo; dat zegt genoeg. De drie staarden naar de meiden vanaf het midden van de stille straat in de rustige woonwijk. Mona zat op haar Razor-scooter, Chassey op een zwarte mountainbike en Phi was te voet – met haar jojo natuurlijk.

'Hebben jullie zin om *Fear Factor* te komen kijken?' riep Mona. 'Sorry,' zei Alison met een neplachje. 'We hebben het nogal druk.'

Chassey fronste haar wenkbrauwen. 'Willen jullie dan niet zien hoe ze insecten eten?'

'Gatver!' fluisterde Spencer tegen Aria, die meteen begon te doen alsof ze onzichtbare vlooien van Hanna's hoofd plukte, als een aap.

'Goh, jammer hoor.' Alison hield haar hoofd schuin. 'We hebben een logeerpartijtje dat we al lang geleden afgesproken hadden. Een andere keer misschien?'

Mona keek naar de stoep. 'Ja, da's goed.'

'Tot kijk.' Alison draaide zich om en rolde met haar ogen, en de anderen deden hetzelfde.

Ze liepen door de poort achter het huis van Spencer. Links van hen lag de tuin van Alison, waar haar ouders een twintigpersoons tuinhuisje aan het bouwen waren voor hun uitgebreide picknickfeestjes. 'Góddank zijn de bouwvakkers er vandaag niet,' zei Ali met een blik op een gele bulldozer.

Emily verstarde. 'Hebben ze weer rare dingen tegen je gezegd?'

'Af, Killer,' zei Alison. De anderen giechelden. Soms noemden ze Emily 'Killer', alsof ze Ali's pitbull was. Vroeger had Emily dat ook grappig gevonden, maar de laatste tijd lachte ze niet meer mee.

De woonschuur was een stukje verderop. Hij was klein en knus, met een groot raam dat uitkeek op de uitgestrekte boerderij van Spencers ouders, waar zelfs een molen bij hoorde. Hier in Rosewood, in Pennsylvania, woonden meer mensen in een verbouwde boerderij met vijfentwintig slaapkamers en een zwembad plus jacuzzi met mozaïektegeltjes, zoals Spencer, dan in een standaard rijtjeshuis. In Rosewood rook het 's zomers naar seringen en pasgemaaid gras, en 's winters naar verse sneeuw en houtkachels. Je had er weelderige hoge pijnbomen, vele hectaren familieboerderijen en schattige vosjes en konijnen. Je kon er geweldig winkelen en er waren volop zaaltjes en parken waar je je verjaardag of diploma-uitreiking kon vieren, of gewoon een feest kon geven omdat je daar toevallig zin in had. En de jongens in Rosewood waren verrukkelijk: stralend en gezond alsof ze zo uit een catalogus van Abercrombie waren gestapt. Dit was de goudkust van Philadelphia, vol blauw bloed en stokoud geld, en nóg oudere schandalen.

Bij de woonschuur aangekomen hoorden de meisjes gegiechel. Iemand gilde: 'Hou óp, zei ik!'

'O, god,' kreunde Spencer. 'Wat doet zij nou hier?'

Toen Spencer door het sleutelgat gluurde, zag ze Melissa, haar brave, keurige oudere zus die overal in uitblonk – en die nu op de bank lag te stoeien met Ian Thomas, haar smakelijke vriendje. Spencer trapte met de hak van haar schoen de deur open. In de woonschuur rook het naar mos en licht aangebrande popcorn. Melissa draaide zich om.

'Wat krijgen we verdomme…' begon ze. Toen zag ze de anderen en zei ze lachend: 'O, hallo.'

De meiden keken naar Spencer. Die klaagde voortdurend dat Melissa een valse superbitch was, dus waren ze steeds weer verbaasd wanneer Melissa heel aardig tegen hen deed.

Ian stond op, rekte zich uit en grijnsde naar Spencer. 'Hoi.'

'Hallo, Ian,' antwoordde Spencer, meteen een stuk opgewekter. 'Ik wist niet dat jij hier was.'

'Dat wist je wel.' Ian glimlachte flirterig. 'Je stond ons te bespieden.'

Melissa schikte haar lange blonde haar en haar zwartzijden haarband en keek haar zusje aan. 'Wat is er?' vroeg ze een beetje beschuldigend.

'Eh… het was niet mijn bedoeling om hier zomaar binnen te vallen…' hakkelde Spencer. 'Maar jij zou er vanavond niet zijn.'

Ian gaf Spencer een speels stompje op haar arm. 'Ik plaag je maar wat,' zei hij.

Ze voelde een rode vlek in haar hals omhoogkruipen. Ian had warrig blond haar, slaperige lichtbruine ogen en een verrukkelijk wasbordje waar je maar moeilijk vanaf kon blijven.

'Wauw,' zei Ali net iets te hard. Iedereen keek naar haar. 'Melissa, Ian en jij zijn echt een ge-wel-dig stel. Dat heb ik je nooit gezegd, maar dat is me van het begin af aan opgevallen. Vind je ook niet, Spence?'

Spencer knipperde met haar ogen. 'Eh…' zei ze zachtjes.

Melissa staarde Ali perplex aan en wendde zich toen weer tot Ian. 'Kan ik jou buiten even spreken?'

Ian dronk zijn flesje Corona leeg terwijl de meisjes toekeken. Zelf dronken ze alleen superstiekem uit de flessen drank die bij hun ouders in de kast stonden. Hij zette het lege flesje neer en grijnsde nog één keer naar hen toen hij achter Melissa aan naar buiten liep. Voordat hij de deur achter zich dichtdeed, knipoogde hij nog even.

Alison veegde haar handen af. 'Weer een probleem opgelost door Ali D. Ga je me nog bedanken, Spence?'

Spencer gaf geen antwoord. Ze had het te druk met uit het raam aan de voorkant van de schuur kijken. De paarse lucht werd verlicht door vuurvliegjes.

Hanna liep naar de achtergelaten schaal popcorn en graaide er een handvol uit. 'Goh, wat een lekker ding is die Ian. Hij ziet er nog beter uit dan Sean.' Sean Ackard was een van de knapste jongens uit hun klas en het onderwerp van Hanna's eeuwige fantasieën.

'Weet je wat ik heb gehoord?' zei Ali terwijl ze zich op de bank liet vallen. 'Dat Sean houdt van meisjes met een stevige eetlust.'

Hanna leefde helemaal op. 'Echt waar?'

'Néé.' Alison snoof sarcastisch.

Langzaam liet Hanna de handvol popcorn terug in de schaal vallen.

'Meiden,' zei Ali. 'Ik weet wat wij gaan doen.'

'Toch niet weer naaktlopen, hè?' Emily giechelde. Dat hadden ze een maand geleden een keer gedaan – in de vrieskou nota bene – en hoewel Hanna had geweigerd haar hemd en dag-van-de-weekslipje uit te trekken, hadden de anderen spiernaakt door een kaal maïsveld in de buurt gerend.

'Dat vond jij net iets te leuk,' mompelde Ali. Emily's glimlach bestierf op haar lippen. 'Nee, iets anders,' zei Ali. 'Iets wat ik speciaal voor de laatste schooldag heb bewaard: ik kan mensen hypnotiseren.'

'Hypnotiseren?' herhaalde Spencer.

'Dat heb ik van de zus van Matt geleerd,' antwoordde Ali, met een blik op de ingelijste foto's van Melissa en Ian op de schoorsteenmantel. Haar vriendje van de week, Matt, had hetzelfde zandkleurige haar als Ian.

'Hoe doe je dat dan?' vroeg Hanna.

'Sorry, ik heb geheimhouding moeten beloven,' zei Ali, en ze draaide zich weer om. 'Zullen we eens kijken of het lukt?'

Aria fronste haar wenkbrauwen en nam plaats op een lavendelkleurig kussen op de grond. 'Ik weet niet...'

'Waarom niet?' Ali's blik ging naar een pluchen poppenkastpop in de vorm van een varkentje die uit Aria's paarse tricot tas piepte. Aria zeulde altijd de mafste dingen met zich mee: speelgoedbeestjes, losse bladzijden die ze uit oude boeken had gescheurd en ansichtkaarten van plaatsen waar ze nog nooit was geweest.

'Ga je door hypnose geen dingen zeggen die je eigenlijk niet wilt zeggen?' vroeg Aria.

'Is er dan iets wat je ons niet wilt vertellen?' reageerde Ali. 'En waarom neem je dat varkentje nog steeds overal mee naartoe?' Ze wees ernaar.

Aria haalde haar schouders op en pakte het pluchen varkentje uit haar tas. 'Mijn vader heeft Pigtunia voor me meegebracht uit Duitsland. Ze geeft me advies over mijn liefdesleven.' Ze stak haar hand in de poppenkastpop.

'Je gaat met je hand in zijn kont!' gilde Ali, en Emily begon te giechelen. 'Trouwens, waarom zou je iets willen meeslepen wat je van je *vader* hebt gekregen?'

'Dat is niet grappig,' snauwde Aria, en ze draaide zich met een ruk om naar Emily.

Iedereen zweeg even, en de meisjes keken elkaar uitdrukkingsloos aan. Dit was de laatste tijd vaker gebeurd: iemand – meestal Ali – zei iets en een ander raakte van streek, maar ze durfden geen van allen te vragen wat er in vredesnaam aan de hand was.

Spencer verbrak de stilte. 'Je laten hypnotiseren, eh, klinkt een beetje raar.'

'Daar weet jij niks van,' zei Alison snel. 'Kom op, dan doe ik jullie allemaal tegelijk.'

Spencer plukte aan de tailleband van haar rokje. Emily blies lucht tussen haar tanden door. Aria en Hanna wisselden een blik. Ali kwam altijd op de proppen met dingen die ze moesten proberen – vorige zomer hadden ze paardenbloemzaadjes gerookt om te kijken of ze ervan zouden gaan hallucineren, en afgelopen herfst waren ze gaan zwemmen in Pecks Pond, ook al was daar ooit een lijk in het water gevonden – maar het probleem was dat ze de dingen waarmee Alison kwam aanzetten vaak helemaal niet wílden proberen. Ze waren allemaal dol op Ali, maar soms konden ze haar niet uitstaan – omdat ze zo bazig was en ze hen in haar greep had. Soms voelden ze zich in haar aanwezigheid… niet echt. Als marionetten die door Ali werden bespeeld, bij elke beweging die ze maakten. Ze zouden stuk voor stuk willen dat ze eens één keer nee tegen Ali durfden te zeggen.

'Toe nou!' zei Ali poeslief. 'Emily, jij wilt wel, hè?'

'Eh…' Emily's stem haperde. 'Nou…'

'Ik doe het wel,' kwam Hanna tussenbeide.

'Ik ook,' volgde Emily al snel.

Spencer en Aria knikten met tegenzin. Alison knipte tevreden alle lichten uit en stak een heleboel zoete vanillekaarsjes aan die op de salontafel stonden. Toen deed ze neuriënd een stapje achteruit. 'Oké allemaal, ontspan je,' zei ze op zangerige toon, en de meisjes gingen in een kring op het kleed zitten. 'Je hartslag wordt langzamer. Denk aan rustgevende dingen. Ik tel terug vanaf honderd, en zodra ik je aanraak, ben je in mijn macht.'

'Griezelig.' Emily lachte zwakjes.

Alison begon: 'Honderd, negenennegentig, achtennegentig...'

Tweeëntwintig...

Elf...

Vijf...

Vier...

Drie...

Ze raakte Aria's voorhoofd aan met het vlezigste gedeelte van haar duim. Spencer rechtte haar opgetrokken benen. Aria trok even met haar linkervoet.

'Twee...' Ze raakte langzaam Hanna aan, en toen Emily, en daarna ging ze door naar Spencer. 'Eén.'

Spencers ogen vlogen open voordat Alison bij haar was. Ze sprong op en rende naar het raam.

'Wat doe je nou?' fluisterde Ali. 'Je verpest het helemaal.'

'Het is hier te donker.' Spencer ging op haar tenen staan om de gordijnen open te doen.

'Niet waar.' Alison liet haar schouders hangen. 'Het moet juist donker zijn. Zo hoort dat.'

'Kom op, dat is onzin.' Het gordijn bleef steken; Spencer maakte een kreunend geluidje toen ze het opentrok.

'Wel waar, ze moeten dicht.'

Spencer zette haar hand in haar zij. 'Ik wil dat het hier licht is. Misschien wil iedereen dat wel.'

Alison keek naar de anderen. Ze hadden allemaal hun ogen nog gesloten.

Spencer zei fel: 'Jij hoeft niet altijd je zin te krijgen.'

Alison lachte kort en kwaad. 'Doe die gordijnen dicht!'

Spencer rolde geërgerd met haar ogen. 'Jezus mens, neem even een pilletje.'

'Jij vindt dat ík een pilletje moet nemen?' vroeg Alison dwingend.

Spencer en Alison keken elkaar een tijdje fel aan. Het was een van die onzinnige ruzies die ook konden gaan over de vraag wie het nieuwste polojurkje van Lacoste het eerst had gezien bij Neiman Marcus, of de vraag of honingkleurige highlights te opzichtig waren, maar eigenlijk ging het om iets anders. Iets veel belangrijkers. Uiteindelijk wees Spencer naar de deur. 'Eruit.'

'Mij best.' Alison beende naar buiten.

'Mooi!' Maar na een paar tellen ging Spencer haar achterna. De blauwige avondlucht was roerloos, en in het huis van haar ouders brandde geen licht. Het was stil – zelfs de krekels maakten geen geluid – en Spencer kon zichzelf horen ademen. 'Wacht even!' riep ze na een tijdje, en ze smeet de deur dicht. 'Alison!'

Maar Alison was weg.

Toen ze de deur hoorde dichtslaan, deed Aria haar ogen open. 'Ali?' riep ze. 'Jongens?' Geen antwoord.

Ze keek om zich heen. Hanna en Emily zaten onderuitgezakt op het kleed. Aria liep de veranda op. Niemand. Op haar tenen sloop ze naar de rand van Ali's tuin. Het bos strekte zich voor haar uit en alles was stil.

'Ali?' fluisterde ze. Niets. 'Spencer?'

Binnen wreven Hanna en Emily in hun ogen. 'Ik heb zo raar gedroomd,' zei Emily. 'Ik bedoel, het moet wel een droom zijn geweest. Het ging heel snel. Alison viel in een heel diepe put en er stonden allemaal gigantische planten.'

'Dat heb ik ook gedroomd!' riep Hanna uit.

'Echt?' vroeg Emily.

Hanna knikte. 'Nou ja, min of meer. Er kwam een grote plant in voor. En volgens mij zag ik Alison ook. Het kan ook haar schaduw geweest zijn – maar zíj was het in ieder geval.'

'Tjéé,' fluisterde Emily. Ze staarden elkaar met grote ogen aan.

'Jongens?' Aria kwam weer binnen. Ze zag lijkbleek.

'Is er iets?' vroeg Emily.

'Waar is Alison?' Aria fronste haar voorhoofd. 'En Spencer?'

'Dat weten we niet,' zei Hanna.

Precies op dat moment kwam Spencer weer binnengestormd. Ze sprongen allemaal op. 'Wat is er?' vroeg ze.

'Waar is Ali?' vroeg Hanna zachtjes.

'Weet ik niet,' fluisterde Spencer. 'Ik dacht... Ik weet niet.'
De meiden vielen stil. Ze hoorden alleen de takken van de bomen die langs het raam schraapten. Het klonk alsof iemand met haar lange nagels over een bord kraste.
'Ik geloof dat ik naar huis wil,' zei Emily.

De volgende ochtend hadden ze nog steeds niets van Alison gehoord. Ze belden elkaar om het te bespreken, een vierpersoons- in plaats van het gebruikelijke vijfpersoonsgesprek.
'Zou ze kwaad op ons zijn?' vroeg Hanna. 'Ze deed de hele avond al raar.'
'Waarschijnlijk zit ze bij Katy,' zei Spencer. Katy was een van Ali's hockeyvriendinnen.
'Of misschien bij Tiffany? Dat meisje van het zomerkamp,' deed Aria een duit in het zakje.
'Ze zal het wel naar haar zin hebben,' zei Emily zachtjes.
Een voor een werden ze gebeld door mevrouw DiLaurentis, die vroeg of ze iets van Ali hadden gehoord. In het begin verzonnen ze allemaal een smoesje voor haar. Dat was de ongeschreven regel: ze hadden een smoes verzonnen voor Emily toen die in het weekend na elf uur 's avonds thuis naar binnen was geslopen; ze hadden de waarheid verdraaid voor Spencer toen zij de Ralph Lauren-jas van Melissa had geleend en hem per ongeluk in de trein had laten liggen, enzovoort. Maar nadat ze het gesprek met mevrouw DiLaurentis hadden beëindigd, kregen ze stuk voor stuk een zuur gevoel in hun maag. Het voelde alsof er iets verschrikkelijk mis was.
Die middag belde mevrouw DiLaurentis weer, deze keer in paniek. Tegen de avond had de familie DiLaurentis de politie gebeld, en de volgende ochtend stond het normaal gesproken zo onberispelijke gazon van het gezin vol met politieauto's en nieuwswagens. Het was de natte droom van de lokale nieuwszender: een mooi, rijk meisje, zoekgeraakt in een van de veiligste, welvarendste steden van het land.
Hanna belde Emily nadat ze naar de eerste nieuwsuitzending over Ali had gekeken. 'Heeft de politie jou vandaag ondervraagd?'
'Ja,' fluisterde Emily.
'Mij ook. Je hebt toch niks gezegd over...' Ze zweeg even. 'Over het Jenna-verhaal, hè?'

'Nee!' riep Emily uit. 'Hoezo? Denk je dat ze iets weten?'

'Nee... dat kan niet,' fluisterde Hanna na een aarzeling. 'Wij zijn de enigen die het weten. Wij vieren... en Alison.'

De politie ondervroeg de meisjes – en verder zo'n beetje heel Rosewood, van Ali's gymleraar tot de jongen van wie ze ooit sigaretten had gekocht. Het was de zomer voor het tweede schooljaar; als meisje hoorde je dan te flirten met oudere jongens, op feestjes aan het zwembad; je hoorde bij vriendinnen in de tuin maïskolven te eten of de hele dag te shoppen in het winkelcentrum. In plaats daarvan lagen ze in hun eentje te huilen in hun hemelbed of staarden ze nietsziend naar hun met posters behangen muren. Spencer ruimde als een bezetene haar kamer op en ging in gedachten na waarover haar ruzie met Ali nu écht was gegaan, en ze dacht aan de dingen die zij van Ali wist waarvan de anderen geen weet hadden. Hanna lag urenlang op de vloer in haar slaapkamer en verstopte de lege chipszakken onder haar matras. Emily bleef maar piekeren over een brief die ze Ali vlak voor haar verdwijning had gestuurd. Had Ali die nog ontvangen? Aria zat aan haar bureau met Pigtunia. Langzaam maar zeker begonnen de meisjes elkaar minder vaak te bellen. Alle vier werden ze gekweld door dezelfde gedachten, maar ze hadden elkaar niets meer te zeggen.

De zomer ging over in het nieuwe schooljaar, en weer in de volgende zomer. Nog steeds geen Ali. De politie bleef zoeken – maar nu in stilte. De media verloren hun belangstelling en hielden zich inmiddels bezig met een drievoudige moord in Center City. Zelfs het gezin DiLaurentis vertrok uit Rosewood, bijna tweeënhalf jaar na de verdwijning van Alison. En ook bij Spencer, Aria, Emily en Hanna veranderde er iets. Als ze nu door Ali's oude straat kwamen en naar haar huis keken, begonnen ze niet meer onmiddellijk te snotteren. Nee, ze voelden nu iets anders.

Opluchting.

Natuurlijk, Alison was *Alison*. De schouder om bij uit te huilen, de enige van wie je het goedvond dat ze de jongen op wie je een oogje had opbelde om uit te vissen of hij jou ook leuk vond, en de vriendin die de knoop doorhakte over de vraag of je in je nieuwe spijkerbroek een dikke kont had. Maar het groepje was ook bang voor haar geweest. Ali wist meer over hen dan wie dan ook, ook de vervelende dingen die ze voorgoed wilden begraven – als een lijk.

Het was een afschuwelijke gedachte dat Ali misschien wel dood was, maar… als dat zo was, waren hun geheimen in ieder geval veilig.

En dat waren ze. Althans, drie jaar lang.

1

SINAASAPPELTJES, PERZIKJES EN LIMOENTJES, O LÀ LÀ!

'Het huis van DiLaurentis is eindelijk verkocht,' zei de moeder van Emily Fields. Het was zaterdagmiddag en mevrouw Fields zat aan de keukentafel, haar bril met multifocale glazen op het puntje van haar neus, rustig de rekeningen te sorteren.

Emily voelde de Vanilla Coke die ze zat te drinken in haar neus borrelen.

'Ik geloof dat er weer een meisje van jouw leeftijd is komen wonen,' ging mevrouw Fields verder. 'Ik wilde vandaag dat mandje gaan afgeven. Misschien kun jij het in mijn plaats doen?' Ze wees naar een monsterlijk, in cellofaan verpakt geval dat op het aanrecht stond.

'Jezus mam, écht niet,' antwoordde Emily. Sinds haar moeder vorig jaar was gestopt met lesgeven aan de basisschool had ze zichzelf uitgeroepen tot het onofficiële welkomstcomité van Rosewood. Ze verzamelde lukraak een hoop rommel – gedroogd fruit, van die platte dingen waarmee je deksels van potten kon draaien, keramieken kippen (Emily's moeder was bezeten van kippen), een gidsje met de hotels in Rosewood; van alles en nog wat – en vulde daarmee een rieten mand. Ze was de doorsnee moeder-in-een-buitenwijk, maar dan zonder grote terreinwagen. Dat vond ze opzichtige benzineslurpers, dus reed ze in een o zo praktische Volvo-stationcar.

Mevrouw Fields stond op en woelde met haar hand door Emily's haar, dat was gebleekt door het chloorwater. 'Vind je het moeilijk om erheen te gaan, lieverd? Misschien moet ik Carolyn maar sturen.'

Emily keek even naar haar zus Carolyn, die een jaar ouder was dan zij. Ze lag languit in de relaxfauteuil in de zitkamer naar *Dr. Phil* te kijken. Emily schudde haar hoofd. 'Nee, laat maar. Ik doe het wel.'

Emily mocht dan zo nu en dan klagen en geërgerd met haar ogen rollen, als het erop aankwam, deed ze alles wat haar moeder haar vroeg. Ze haalde achten en negens, was viervoudig staatskampioene vlinderslag en een megagehoorzame dochter. Zich aan de regels houden en verzoekjes inwilligen ging haar gemakkelijk af.

Bovendien wílde ze diep in haar hart graag een reden hebben om Alisons huis weer eens vanbinnen te zien. Het leek wel of de rest van Rosewood de draad weer had opgepakt na de verdwijning van Alison drie jaar, twee maanden en twaalf dagen geleden, maar voor Emily gold dat niet. Zelfs nu nog kon ze niet naar het jaarboek van school uit die tijd kijken zonder zich als een balletje te willen oprollen. Soms, op regenachtige dagen, las Emily de oude briefjes van Ali nog eens terug, die ze bewaarde in een Adidas-doos onder haar bed. Ze had zelfs nog de Citizens-ribbroek die ze van Ali had mogen lenen; die hing aan een houten hangertje in haar kast, ook al was hij haar inmiddels veel te klein. De afgelopen drie eenzame jaren in Rosewood had ze verlangd naar een vriendin zoals Ali, maar waarschijnlijk zou ze die nooit meer krijgen. Ali mocht dan niet de perfecte vriendin zijn geweest; ondanks haar tekortkomingen was ze moeilijk te vervangen.

Emily stond op en pakte de sleutels van de Volvo van het haakje naast de telefoon. 'Ik ben zo terug,' riep ze toen de voordeur achter haar dichtviel.

Het eerste wat ze zag toen ze stopte voor Alisons oude victoriaanse huis, aan het begin van de met bomen omzoomde straat, was een enorme berg troep op het trottoir, met een bordje erbij waar GRATIS! op stond. Toen ze haar ogen tot spleetjes kneep, zag ze dat het spullen van Ali waren – ze herkende een enorme witte corduroy fauteuil. De familie DiLaurentis was bijna negen maanden geleden verhuisd; kennelijk hadden ze bepaalde spullen achtergelaten.

Ze parkeerde de Volvo achter een enorme verhuiswagen en stapte uit. 'Zo hé,' fluisterde ze, en ze deed haar best om haar trillende onderlip te bedwingen. Onder de stoel lagen stapels beduimelde boeken. Emily bukte om ze te bekijken: *The Red Badge of Courage* en *The Prince and the Pauper*. Ze kon zich herinneren dat ze die had gelezen voor de les van juffrouw Pierce, en dat ze het hadden gehad over symboliek, metaforen en ontknopingen. Er lagen nog meer boeken onder de stoel, en zo te zien ook oude schriften. Naast de boeken stonden dozen waarop 'kleding Alison' en 'oude opstellen Alison' stond. Uit een krat piepte een blauw-rood lint. Emily trok het er een stukje verder uit. Het was een zwemmedaille uit groep acht die ze bij Alison had laten liggen toen ze een zelfverzonnen spel hadden gedaan: Olympische Seksgodinnen.

'Wil je dat hebben?'

Emily keek met een ruk op. Daar stond een lang, mager meisje met een honingkleurige huid en wilde zwartbruine krullen. Ze droeg een geel tanktopje met één afgezakt schouderbandje, waaronder een oranje-met-groen behabandje te zien was. Emily wist het niet zeker, maar ze meende thuis dezelfde beha te hebben. Hij was van Victoria's Secret; er stonden sinaasappeltjes, perzikjes en limoentjes op de eh... borstgedeelten.

De zwemmedaille gleed uit haar handen en viel op de grond. 'Eh, nee,' antwoordde ze, en ze raapte hem gauw op.

'Mag wel, hoor. Kijk maar naar dat bordje.'

'Nee, het hoeft echt niet.'

Het meisje stak haar hand uit. 'Maya St. Germain. Ik ben hier pas komen wonen.'

'Ik...' De woorden bleven Emily in de keel steken. 'Ik ben Emily,' wist ze na een hele tijd uit te brengen, en ze schudde Maya de hand. Het voelde heel formeel – Emily betwijfelde of ze ooit een jong meisje een hand had gegeven. Ze voelde zich een beetje draaierig. Misschien had ze niet genoeg honingcrispies gegeten bij het ontbijt?

Maya gebaarde naar de spullen op de grond. 'Kun je je voorstellen dat al die troep op mijn kamer stond? Ik heb het helemaal zelf hierheen moeten slepen. Balen.'

'Ja, dit is allemaal van Alison geweest.' Emily fluisterde bijna.

Maya bukte om een paar pocketboeken te bekijken. Ze hees het bandje van haar tanktopje terug over haar schouder. 'Is ze een vriendin van je?'

Emily wachtte even. *Is?* Misschien had Maya niet over de verdwijning van Ali gehoord. 'Eh, dat wás ze. Lang geleden. Samen met een stel andere meiden hier uit de buurt,' legde Emily uit, zonder in te gaan op de ontvoering, moord of wat er ook gebeurd mocht zijn waaraan ze niet durfde te denken. 'In de brugklas. Ik ga nu naar de vijfde, op Rosewood Day.' De school begon na het weekend weer. Net als de zwemtraining: drie uur per dag baantjes zwemmen. Emily moest er niet aan dénken.

'Ik ga ook naar Rosewood!' zei Maya grinnikend. Ze liet zich in Alisons oude corduroy stoel zakken; de vering piepte. 'Mijn ouders hebben in het vliegtuig op weg hierheen de hele tijd geroepen dat ik zo bofte dat ik was aangenomen op Rosewood en dat er het héél anders zal zijn dan op mijn oude school in Californië. Jullie hebben hier vast geen Mexicaans eten, hè? Of in ieder geval geen supergoed Mexicaans eten, weet je wel, zoals Californisch-Mexicaans. Dat hadden ze bij ons op school in de kantine, weet je wel, en het was zóóó lekker. Ik zal aan Taco Bell moeten wennen, weet je wel, ook al moet ik bijna kotsen van de *gordita's* die ze daar hebben.'

'O.' Emily moest lachen. Dat kind kon praten, zeg. 'Ja, dat is waardeloos eten.'

Maya sprong op uit de stoel. 'Het is misschien een rare vraag, ik ken je nog maar net, maar zou jij me misschien willen helpen de rest van die dozen naar mijn kamer te brengen?' Ze gebaarde naar een paar verhuisdozen die bij de deur van de verhuiswagen stonden.

Emily zette grote ogen op. Naar Ali's oude kamer? Maar het zou ontzettend bot zijn om te weigeren, of niet? 'Eh, goed hoor,' zei ze bibberig.

De hal rook nog steeds naar Dove-zeep en potpourri, net als toen de familie DiLaurentis er nog woonde. Emily bleef even bij de deur staan en wachtte op Maya's instructies, ook al wist ze dat ze Ali's oude kamer aan het einde van de overloop nog wel geblinddoekt zou kunnen vinden. Overal stonden verhuisdozen, en van achter een hek in de keuken blaften twee spichtige Italiaanse hazewindhonden.

'Niks van aantrekken,' zei Maya, en ze liep de trap op naar haar kamer en duwde met haar in badstof gestoken heup de deur open.

Goh, er is niks veranderd, dacht Emily toen ze de slaapkamer binnenkwam. Maar eigenlijk was er wél een hoop veranderd: Maya had haar twijfelaar in een andere hoek staan, er stond een enorme flatscreencomputer op haar bureau en ze had overal posters opgehangen om Alisons bloemetjesbehang te bedekken. Maar íéts voelde hetzelfde, alsof Alisons aanwezigheid hier nog hing. Emily voelde zich licht in haar hoofd worden en zocht steun tegen de muur.

'Zet maar ergens neer,' zei Maya. Emily hees zichzelf overeind, zette de doos neer aan het voeteneind van het bed en keek om zich heen.

'Leuke posters,' zei ze. De meeste waren van bands: M.I.A., Black Eyed Peas en Gwen Stefani in een cheerleaderspakje. 'Ik ben gek op Gwen,' voegde ze eraan toe.

'Ja,' zei Maya. 'Mijn vriend is helemaal bezeten van haar. Justin heet hij. Hij komt uit San Francisco, net als ik.'

'O. Ik heb ook een vriendje,' zei Emily. 'Hij heet Ben.'

'O ja?' Maya ging op haar bed zitten. 'Wat voor type is het?'

Emily probeerde een beeld op te roepen van Ben, met wie ze vier maanden verkering had. Ze had hem twee dagen geleden nog gezien, toen ze samen bij haar thuis *Doom* hadden gekeken op dvd. Natuurlijk was Emily's moeder in de buurt gebleven en telkens binnengekomen om te vragen of ze iets wilden eten of drinken. Ze waren al een tijdje bevriend geweest voordat ze iets met elkaar kregen; ze zaten in hetzelfde zwemteam. Al hun teamgenoten zeiden dat ze een keer samen uit moesten gaan, dus dat hadden ze gedaan. 'Hij is wel oké.'

'Waarom ben je niet meer bevriend met het meisje dat hier heeft gewoond?' vroeg Maya.

Emily deed haar rossige haar achter haar oren. Tjee. Maya wist het dus écht niet, van Alison. Maar als Emily nu over Ali begon, zou ze misschien gaan huilen – en dat kon vreemd overkomen. Ze kende die Maya amper. 'Ik ben al mijn vriendinnen uit de brugklas ontgroeid. Ik geloof dat we allemaal erg veranderd zijn.'

Dat kon je wel zeggen! Van Emily's andere beste vriendinnen was Spencer een overdreven versie geworden van haar toch al hyperperfecte oude uitvoering; Aria was plotseling met haar ouders naar IJsland verhuisd, in de herfst nadat Ali was verdwenen; de slome maar sympathieke Hanna was tegenwoordig allesbehalve sloom en allesbehalve sympathiek: ze was veranderd in een enorme bitch. Hanna en haar huidige beste vriendin Mona Vanderwaal hadden een complete gedaantewisseling ondergaan in de zomer tussen de tweede en derde klas. De moeder van Emily had Hanna pasgeleden bij de supermarkt gezien en tegen Emily gezegd dat ze er 'hoeriger dan dat meisje van Hilton, die Paris' had uitgezien. Emily had haar moeder nooit eerder het woord 'hoerig' horen gebruiken.

'Ik weet wat het is om uit elkaar te groeien,' zei Maya, op en neer wippend op haar bed. 'Neem nu mijn nieuwe vriendje. Hij is als de dood dat ik hem zal dumpen nu we zo ver bij elkaar vandaan wonen. Het is net een klein kind.'

'Mijn vriend en ik zitten allebei in het zwemteam, dus we zien elkaar heel vaak,' antwoordde Emily, terwijl ze zocht naar een plekje om te gaan zitten. Misschien wel té vaak, dacht ze.

'Zwem jij?' vroeg Maya. Ze bekeek Emily van top tot teen, waardoor die zich een beetje ongemakkelijk voelde. 'Je bent vast heel goed. Je hebt er hélemaal de schouders voor.'

'Ach, ik weet niet.' Emily leunde blozend tegen Maya's withouten bureau.

'Echt wel!' Maya glimlachte. 'Maar... als je zo sportief bent, wil dat zeggen dat je uit je dak gaat als ik wiet rook?'

'Wat, nú?' Emily zette grote ogen op. 'En je ouders dan?'

'Die zijn boodschappen doen. En mijn broer... die loopt hier wel ergens rond, maar hem kan het niet schelen.' Maya graaide onder haar matras en haalde een pepermuntjesblikje tevoorschijn. Ze schoof het raam open, dat pal naast haar bed was, pakte een joint uit het blikje en stak die aan. De rook kringelde de tuin in en vormde een dikke wolk om de grote eik heen.

Maya haalde de joint naar binnen. 'Ook een hijs?'

Emily had nog nooit wiet gerookt – ze dacht altijd dat haar ouders het zouden merken, dat ze aan haar haar zouden gaan ruiken of haar zouden dwingen in een potje te plassen of zoiets. Maar toen Maya de joint bevallig tussen haar kersenrode lippen vandaan haalde, zag dat er heel sexy uit. Zo sexy wilde Emily er ook uitzien.

'Eh... oké.' Ze schoof wat dichter naar Maya toe en nam de joint van haar over. Hun handen raakten elkaar vluchtig en ze keken elkaar aan. Maya's ogen waren groen met een tikkeltje geel, als die van een kat. Emily's hand trilde. Ze was nerveus, maar ze bracht de joint naar haar lippen en nam een piepklein trekje, alsof ze Vanilla Coke dronk met een rietje.

Maar het smaakte niet naar Vanilla Coke. Het leek wel of ze zojuist een hele pot bedorven kruiden had binnengekregen. Ze begon te hoesten als een oud mannetje.

'Hóóó,' zei Maya, en ze nam de joint weer over. 'Eerste keer?'

Emily kreeg geen lucht en schudde alleen maar hijgend haar hoofd. Ze hapte piepend naar adem in een poging haar borstkas te ontzien. Eindelijk voelde ze weer lucht haar longen instromen. Toen Maya haar arm omdraaide, zag ze een lang, wit litteken dat in de lengte over haar pols liep. Oei. Het leek een beetje op een albinoslang op haar bruine huid. Jezus, waarschijnlijk was ze nu al high.

Plotseling klonk er een luide, metalige klap. Emily sprong op. Nog een klap. 'Wat is dat?' bracht ze moeizaam uit.

Maya nam nog een haal en schudde haar hoofd. 'De bouwvakkers. We zijn hier net een dag en mijn ouders zijn al aan het verbouwen geslagen.' Ze grinnikte. 'Je ging door het lint alsof je de politie verwachtte. Ben je soms wel eens opgepakt?'

'Nee!' Emily barstte in lachen uit, zo'n idiote gedachte was het.

Maya blies glimlachend de rook uit.

'Ik moet maar eens gaan,' zei Emily schor.

Maya's gezicht betrok. 'Waarom?'

Emily schuifelde heen en weer op het bed. 'Ik had tegen mijn moeder gezegd dat ik maar even zou wegblijven. Maar ik zie je dinsdag op school.'

'Leuk. Wil je me dan rondleiden?'

Emily glimlachte. 'Natuurlijk.'

Maya wiebelde grinnikend met drie vingers ten afscheid. 'Je komt er wel uit, hè?'

'Ik denk het wel.' Emily keek nog een keer om zich heen in Ali's... eh, Maya's kamer en liep toen met grote passen naar de overbekende trap.

Pas toen Emily haar hoofd had geschud in de frisse lucht en ze langs Alisons oude spullen op het trottoir was gelopen en in de auto van haar ouders was gestapt, zag ze het welkomstmandje op de achterbank staan. Bekijk het ook maar, dacht ze, en ze propte het geval tussen Alisons oude stoel en haar dozen met boeken. Wie zit er nou te wachten op een gidsje met de hotels van Rosewood? Maya wóónt hier al.

En plotseling was Emily daar blij om.

2

IJSLANDSE (EN FINSE) MEISJES
ZIJN MAKKELIJK TE VERSIEREN

'Mijn god, bómen. Wat ben ik blij om dikke, vette bomen te zien.'

Aria Montgomery's broer van vijftien, Michelangelo, stak als een golden retriever zijn hoofd uit het raampje van de auto van zijn ouders. Aria, haar ouders Ella en Byron – ze wilden door hun kinderen bij de voornaam genoemd worden – en Mike kwamen van het vliegveld van Philadelphia. Ze waren zojuist geland na een vlucht uit Reykjavík in IJsland. Aria's vader was professor kunstgeschiedenis en het gezin had twee jaar in IJsland gewoond, waar hij had meegewerkt aan de research voor een televisiedocumentaire over Scandinavische kunst. Nu ze terug waren bewonderde Mike het platteland van Pennsylvania. En hij genoot van... alles. Letterlijk. Alles. De herberg van omstreeks het jaar 1700 waar drukbewerkte stenen vazen werden verkocht, de zwarte koeien die achter een houten hek langs de weg dom naar hun auto staarden en het winkelcentrum in de stijl van een ouderwets dorp dat sinds hun vertrek uit de grond was gestampt. Zelfs de krakkemikkige donutwinkel die al vijfentwintig jaar bestond.

'Man, die koffie die ze daar hebben! Heerlijk!' riep Mike uit.

Aria kreunde. Mike had een eenzaam bestaan gehad in IJsland – volgens hem waren alle jongens er 'mietjes die op kleine homopaardjes rondreden' – maar Aria was er helemaal opgebloeid. Een nieuwe start was precies geweest wat ze nodig had, dus was ze blij geweest toen haar vader aankondigde dat het gezin ging verhuizen. Dat was in de herfst na Alisons verdwijning en de meiden waren totaal uit elkaar gegroeid, zodat ze geen echte vriendinnen meer had, alleen een school vol mensen die ze al eeuwig kende.

Voordat ze naar Europa vertrok had Aria soms jongens vanuit de verte naar haar zien kijken, geïntrigeerd, maar dan wendden ze hun blik weer af. Met haar veulenachtige ballerinafiguur, steil zwart haar en een pruilmondje wist Aria dat ze mooi was. Dat zeiden de mensen vaak genoeg, maar waarom had zij dan geen vriendje gehad om mee naar het lentefeest van de brugklas te gaan? Een van de laatste keren dat ze Spencer had gesproken – tijdens zo'n gespannen samenzijn in de zomer na Ali's verdwijning – had zij gezegd dat Aria vriendjes genoeg zou kunnen hebben, als ze zich maar een beetje meer aanpaste.

Maar Aria wist niet wat ze moest doen om erbij te horen. Haar ouders hadden haar ingeprent dat ze een individu was, geen kuddedier, en dat ze altijd zichzelf moest blijven. Het probleem was dat Aria zelf niet wist wie Aria wás. Sinds haar elfde was ze punk-Aria, kunstzinnige Aria en documentaireliefhebster-Aria geweest, en vlak voor hun verhuizing had ze zelfs geprobeerd de ideale Rosewood-Aria te zijn, compleet met paardrijles, poloshirts en dure Coach-handtassen; precies wat de jongens in Rosewood prachtig vonden, maar Aria zelf niet. Gelukkig was het gezin twee weken daarna naar IJsland vertrokken, en daar was alles, alles, álles anders geworden.

Haar vader had de baan in IJsland aangeboden gekregen toen Aria net in de tweede zat, en het gezin was meteen verhuisd. Ze vermoedde dat het overhaaste vertrek te maken had met een geheim waarvan alleen zij – samen met Alison DiLaurentis – op de hoogte was. Ze had zich vast voorgenomen er niet meer aan te denken zodra het toestel van Icelandair was opgestegen, en na een paar maanden in Reykjavík was Rosewood niet meer dan een vage herinnering. Haar ouders leken weer verliefd op elkaar te worden, en zelfs haar superprovinciale broer leerde IJslands én Frans. En Aria werd verliefd – een paar keer, om precies te zijn.

Dus wat maakte het uit dat de jongens in Rosewood niets van de maffe Aria begrepen? De jongens in IJsland – rijk, wereldwijs en fascinerend – begrepen haar wél. Meteen na hun verhuizing had ze Hallbjörn leren kennen. Hij was zeventien, deejay, en had drie pony's en de mooiste jukbeenderen die ze ooit had gezien. Hij bood aan om haar de geisers te laten zien, en toen ze er een zagen spuiten en een grote wolk stoom uitblazen had hij haar gezoend. Na Hallbjorn kwam Lars, die het leuk vond om te spelen met haar poppenkastpop Pigtunia – die Aria advies gaf over haar liefdesleven – en haar meenam naar de allerbeste danceparty's bij de haven; feesten die de hele nacht doorgingen. In IJsland voelde ze zich aantrekkelijk en sexy. Daar werd ze IJsland-Aria, de beste Aria tot nu toe. Ze ontdekte haar eigen stijl – een beetje alternatief hippieachtig, met veel laagjes kleding, rijglaarzen en APC-jeans, die ze op vakantie in Parijs had gekocht – en las Franse filosofen en reisde met de Eurail, met alleen een oude plattegrond en schoon ondergoed als bagage.

Maar nu deed iedere aanblik van Rosewood door het autoraampje haar denken aan het verleden dat ze wilde vergeten. Daar had je Ferra's Cheesesteaks, waar ze vele uren had doorgebracht met haar schoolvriendinnetjes. En de stenen poort van de countryclub; haar ouders waren geen lid, maar ze ging er altijd met Spencer naartoe. Eén keer was Aria, in een overmoedige bui, naar de jongen die ze leuk vond toegelopen en had hem gevraagd of hij de helft van haar ijswafel wilde. Hij had haar afgewezen – natuurlijk.

En daar was de zonnige straat met bomen waar Alison DiLaurentis had gewoond. Aria staarde ernaar terwijl de auto stilstond op het kruispunt; het was het tweede huis vanaf de hoek. Er stond een hoop rommel op de stoep, maar verder zag het er stil en verlaten uit. Ze kon er niet lang naar kijken zonder haar ogen te bedekken. In IJsland waren er dagen verstreken vrijwel zonder dat ze had hoeven denken aan Ali, hun geheimen en wat er was gebeurd. Nu was ze nog geen tien minuten terug in Rosewood en ze kon Ali's stem al praktisch bij iedere bocht in de weg horen, en ze zag haar spiegelbeeld in elk groot erkerraam. Ze liet zich achterover zakken in de autostoel en moest haar best doen om niet te gaan huilen.

Haar vader reed een paar straten verder en stopte voor hun oude huis, een woeste, postmoderne bruine blokkendoos met maar één vierkant raam, precies in het midden – een enorme afknapper na hun vaalblauwe rijtjeshuis aan het water in IJsland. Aria liep achter haar ouders aan naar binnen en ze liepen elk naar hun eigen kamer. Terwijl ze met haar armen door de glinsterende stofdeeltjes in haar kamer maaide, hoorde ze hoe Mike buiten zijn telefoon opnam.

'Mam!' Mike kwam de voordeur door gehold. 'Ik had net Chad

aan de lijn en hij zegt dat vandaag de eerste lacrossetraining is.'
'Lacrosse?' Ella kwam de eetkamer uitgelopen. 'Nu al?'
'Ja,' antwoordde Mike. 'Ik ga erheen!' Hij stoof de smeedijzeren trap op naar zijn oude slaapkamer.
'Aria, liever?' Ze draaide zich om bij het horen van haar moeders stem. 'Kun jij hem even wegbrengen?' Aria stootte een lachje uit. 'Eh, mam? Ik heb geen rijbewijs.' 'Nou en? In Reykjavík reed je zo vaak. Het lacrosseveld is toch maar een paar kilometer hiervandaan? Je kunt hooguit een koe aanrijden. Wacht daar maar tot Mike klaar is met trainen.' Aria bleef even staan. Haar moeder klonk nu al dodelijk vermoeid. Ze hoorde haar vader in de keuken kastjes opentrekken en dichtgooien en zachtjes mompelen. Zouden haar ouders hier net zoveel van elkaar houden als in IJsland? Of werd het nu weer net zo als vroeger?

'Goed,' mompelde ze. Ze gooide haar tassen op de overloop, pakte de autosleutels en stapte in de stationcar.

Haar broer kwam naast haar zitten, ongelooflijk genoeg al in zijn sportkleren. Hij mepte enthousiast op het net van zijn lacrossestick en wierp haar een boosaardig, veelbetekenend lachje toe. 'Blij dat we terug zijn?'

Aria zuchtte alleen maar. Mike hield de hele rit zijn handen tegen de autoruit gedrukt en riep dingen als: 'Het huis van Caleb! Ze hebben de skatebaan afgebroken!' en: 'Koeienstront ruikt nog hetzelfde!' Bij het grote, keurig gemaaide sportveld had ze de auto nog niet geparkeerd of Mike gooide het portier al open en stoof weg.

Ze leunde achterover in de autostoel en staarde zuchtend door het zonnedak. 'Ja, dólblij dat we terug zijn,' mompelde ze. Een luchtballon gleed sereen door het wolkendek. Vroeger had ze het altijd geweldig gevonden als ze een ballon zag, maar vandaag keek ze er met één dichtgeknepen oog naar en deed alsof ze hem tussen duim en wijsvinger fijnkneep.

Een stel jongens met witte Nike-T-shirts, wijde shorts en achterstevoren gedragen honkbalpetjes liepen langzaam langs haar auto naar het clubhuis. Zie je wel? Alle jongens in Rosewood zagen er hetzelfde uit. Aria knipperde met haar ogen. Een van hen droeg zelfs hetzelfde T-shirt met 'Nike University of Pennsylvania' erop dat Noel Kahn vroeger had gehad, de jongen van de ijswafel op wie ze in de tweede klas verliefd was geweest. Ze tuurde naar het zwarte golvende haar van de jongen. Wacht even... wás hij het nou? O, god. Jawel. Aria kon bijna niet geloven dat hij nog hetzelfde T-shirt droeg als toen hij dertien was. Waarschijnlijk was het een of andere idiote vorm van sportersbijgeloof en dacht hij dat het geluk bracht.

Noel keek vragend haar kant op, kwam naar de auto gelopen en klopte op het raampje. Ze draaide het naar beneden.

'Jij bent toch dat meisje dat naar de Noordpool ging? Aria, was het niet? Vriendin van Ali?' vroeg Noel.

Aria's maag maakte een koprol. 'Eh...' zei ze.

'Nee, man.' James Freed, de op een na knapste jongen van Rosewood, dook op achter Noel. 'Ze ging niet naar de Noordpool, ze verhuisde naar Finland. Je weet wel, waar Svetlana vandaan komt, het fotomodel dat zoveel op Hanna lijkt.'

Aria krabde aan haar achterhoofd. Hanna? Toch niet Hanna *Marin*?

Er klonk een fluitsignaal en Noel stak zijn arm de auto in om Aria's arm aan te raken. 'Je komt toch wel naar de training kijken, Finland?'

'Eh... *jå*,' zei Aria.

'Is dat een Finse sekskreet?' vroeg James grinnikend.

Aria rolde met haar ogen. Ze was er tamelijk zeker van dat *jå* Fins was voor 'ja', maar dat wisten zij natuurlijk niet. 'Ga maar lekker met jullie ballen spelen.' Ze lachte vermoeid.

De jongens stootten elkaar aan en stoven ervandoor, zwaaiend met hun lacrossesticks nog voordat ze bij het veld waren. Aria staarde uit het raampje. Hoe ironisch. Dit was de eerste keer dat ze in Rosewood flirterig had gedaan tegen een jongen – Noel nog wel! – en het deed haar niks.

Verderop kon ze nog net de torenspits zien van de kapel van Hollis College, de kleine, progressieve kunstacademie waar haar vader lesgaf. Er was daar een bar, Snookers. Ze rechtte haar rug en keek op haar horloge. Half drie. Misschien waren ze wel open. Ze kon een paar biertjes gaan drinken en er zelf een leuke middag van maken.

Wie weet, misschien zagen zelfs de jongens van Rosewood er goed uit door een bierbril.

Waar de bars in Reykjavík naar vers gebrouwen bier, oud hout en Franse sigaretten hadden geroken, hing in Snookers de lucht van lijken, oude hotdogs en zweet. En Snookers, net als alles in Rosewood, bracht herinneringen met zich mee: Alison DiLaurentis had Aria een keer op vrijdagavond uitgedaagd om er naar binnen te gaan en een cocktail te bestellen die 'orgasme' heette. Aria was in de rij met studentikoze types gaan staan, en toen de portier haar niet wilde binnenlaten, had ze uitgeroepen: 'Maar ik kom voor een orgasme!' Toen het tot haar doordrong wat ze had gezegd, was ze keihard naar haar vriendinnen gehold, die gebukt achter een auto op het parkeerterrein zaten. Ze hadden allemaal zo hard moeten lachen dat ze er de hik van kregen.

'Amstel,' zei ze tegen de barkeeper nadat ze zó door de glazen klapdeur naar binnen had kunnen lopen; kennelijk was er op zaterdagmiddag om halfdrie geen portier nodig. De barkeeper keek haar vragend aan, maar toen zette hij een glas bier voor haar neer en draaide zich om. Aria nam een grote slok. Het smaakte flauw en waterig. Ze spuugde het bier terug in het glas.

'Gaat het wel?'

Toen Aria zich omdraaide, zag ze drie krukken verder een jongen zitten met warrig blond haar en de ijsblauwe ogen van een Siberische husky. Er stond een whiskyglas voor hem op de bar.

Aria fronste haar wenkbrauwen. 'Jawel hoor, ik was alleen vergeten hoe het bier hier smaakt. Ik heb twee jaar in Europa gewoond, daar is het veel lekkerder.'

'Europa?' Hij glimlachte. Hij had een erg leuke lach. 'Waar?'

Aria lachte terug. 'IJsland.'

Zijn ogen begonnen te schitteren. 'Ik heb een paar nachten in Reykjavík gelogeerd op doorreis naar Amsterdam. Er was toen een heel groot, supergaaf feest in de haven.'

Aria vouwde haar handen om haar bierglas. 'Ja,' zei ze lachend, 'ze hebben daar te gekke feesten.'

'Heb je ook het noorderlicht gezien?'

'Natuurlijk,' antwoordde Aria. 'En de midzomernachtzon. 's Zomers werden er geweldige raves gegeven… met fantastische muziek.' Ze keek naar zijn glas. 'Wat drink jij?'

'Whisky,' zei hij, en hij gebaarde al naar de barkeeper. 'Wil je er ook een?'

Ze knikte. De jongen schoof drie krukken op en kwam naast haar zitten. Hij had mooie handen, met lange vingers en een beetje rafelige nagels. Op zijn corduroy jasje zat een kleine button met de tekst: SLIMME VROUWEN STEMMEN!

'Dus je hebt in IJsland gewoond?' Hij glimlachte weer. 'Een uitwisselingsproject voor school of zo?'

'Nou, nee,' zei Aria. De barkeeper zette haar whisky neer. Ze nam een grote slok, alsof het bier was. Haar keel en borst begonnen onmiddellijk te gloeien. 'Ik was in IJsland vanwege...'

Ze onderbrak zichzelf. 'Ja, het was iets voor school.' Laat hem maar denken wat hij wilde.

'Cool.' Hij knikte. 'Waar heb je vóór die tijd gewoond?

Ze haalde haar schouders op. 'Eh... hier in Rosewood.' Lachend voegde ze er snel aan toe: 'Maar ik vond het daarginds stukken leuker.'

Hij knikte. 'Ik vond het verschrikkelijk om na Amsterdam terug te moeten naar Amerika.'

'Ik heb de hele vlucht naar huis zitten janken,' biechtte Aria op. Ze voelde zich voor het eerst sinds haar terugkeer weer de nieuwe, verbeterde IJsland-Aria. Ze zat hier met een knappe, slimme jongen over Europa te praten, en dat niet alleen: dit kon wel eens de enige jongen in heel Rosewood zijn die haar niet kende als Rosewood-Aria, de maffe vriendin van het mooie meisje dat was verdwenen. 'Heb jij hier op school gezeten?' vroeg ze.

'Ik ben net klaar.' Hij veegde met een servetje zijn mond af en stak een Camel op. Toen hij haar het pakje voorhield, schudde ze haar hoofd. 'Ik ga lesgeven.'

Aria nam nog een slokje whisky en zag dat het glas al leeg was. Goh! 'Dat zou ik ook wel willen, geloof ik. Als ik mijn diploma heb. Of ik wil toneelschrijfster worden.'

'Toneelschrijfster? Wat voor studierichting volg je dan?'

'Eh... Engels.' De barkeeper zette nog een whisky voor haar neer.

'Ik ook!' Met die woorden legde hij zijn hand op Aria's knie. Ze was zo verbaasd dat ze ineenkromp en bijna haar glas omstootte. Hij trok zijn hand terug. Ze bloosde.

'Sorry,' zei hij een beetje schaapachtig. 'Ik heet trouwens Ezra.'

'Aria.' Haar naam klonk ineens ontzettend lachwekkend. Ze giechelde, een beetje uit balans.

'Ho!' Ezra pakte haar arm om haar tegen te houden.

Drie whisky's later hadden Aria en Ezra vastgesteld dat ze in de Borg-bar in Reykjavík dezelfde barkeeper waren tegengekomen, een oude zeeman, dat ze het allebei heerlijk vonden om in de mineraalrijke, warme *blue lagoons* te zwemmen, waar je heel slaperig van werd, en dat ze de rotte-eierenlucht van de zwavel daar juist lekker vonden. Ezra's ogen werden met de minuut blauwer. Aria wilde hem vragen of hij een vriendin had. Ze kreeg een warm gevoel vanbinnen, en ze was er tamelijk zeker van dat dat niet alleen door de whisky kwam.

'Ik moet een beetje plassen,' zei ze aangeschoten.

Ezra vroeg glimlachend: 'Mag ik mee?'

Zo, de vraag over de vriendin was meteen beantwoord.

'Ik bedoel, eh...' Hij wreef over zijn nek. 'Was dat een beetje te vrijpostig?' Hij keek van onder zijn dikke wenkbrauwen naar haar.

Haar hoofd gonsde. Het was niks voor haar om zomaar met onbekenden aan te pappen – althans, in Amerika. Maar had ze niet gezegd dat ze IJsland-Aria wilde zijn?

Ze stond op en pakte zijn hand. De hele weg naar de damestoiletten van Snookers keken ze elkaar in de ogen. De vloer van de toiletten was bezaaid met wc-papier en het stonk er nog erger dan in de bar zelf, maar het kon Aria niet schelen. Toen Ezra haar op de wastafel zette en ze haar benen om zijn middel sloeg, rook ze alleen nog zíjn geur – een combinatie van whisky, kaneel en zweet – en ze had nog nooit zoiets lekkers geroken.

Zoals ze in Finland – of waar dan ook – zeiden: *jå.*

3

HANNA'S EERSTE BEDELARMBANDJE

'En schijnbaar lagen ze te vrijen in de slaapkamer van Bethany's ouders!'

Hanna Marin staarde over het tafeltje heen haar beste vriendin Mona Vanderwaal aan. Het was twee dagen voor het begin van het nieuwe schooljaar en ze zaten op het terras bij Rive Gauche, een quasi-Frans café in het King James-winkelcentrum, rode wijn te drinken, de *Vogue* te vergelijken met de *Teen Vogue* en te roddelen. Mona kende altijd de smeuïgste verhalen. Hanna nam nog een slokje wijn en zag een man van in de veertig naar hen loeren. Echt zo'n Humbert Humbert-type, dacht ze, maar ze zei het niet hardop. Mona zou de literaire verwijzing niet begrijpen, maar dat Hanna het populairste meisje van Rosewood Day was, wilde niet zeggen dat ze niet zo nu en dan de aanbevolen titels van de zomerliteratuurlijst las, vooral wanneer ze aan het zwembad lag en verder niets te doen had. Bovendien was *Lolita* lekker sexy.

Mona draaide zich met een ruk om, om te zien naar wie Hanna zat te kijken. Haar lippen vormden een ondeugend lachje. 'Even showen, oké?'

'Ik tel tot drie.' Hanna sperde haar amberkleurige ogen open.

Mona knikte. Bij 'drie' trokken de meisjes allebei hun toch al superkorte rokjes op om hun slipje te laten zien. Humbert gooide met uitpuilende ogen zijn glas pinot noir leeg in het kruis van zijn lichte broek. 'Shit!' riep hij uit, en hij vloog als een speer naar de toiletten.

'Lachen,' zei Mona. Ze gooiden hun servetjes in hun onaangeroerde salades en stonden op om te vertrekken.

Ze waren vriendinnen geworden in de zomer tussen de tweede en derde klas, nadat ze allebei waren afgewezen als cheerleader. Ze hadden zich vast voorgenomen om het jaar daarna wél door de voorrondes te komen en hadden besloten om kilo's af te vallen – zodat zij straks de schattige, petieterige meisjes zouden zijn die door de jongens van het team in de lucht werden gegooid. Maar toen ze eenmaal broodmager en bloedmooi waren, besloten ze dat cheerleader-zijn helemaal uit was, dat cheerleaders losers waren, dus namen ze niet eens de moeite om nog een keer aan de audities mee te doen.

Sinds die tijd vertelden Hanna en Mona elkaar alles – nou ja, bijna alles. Hanna had Mona niet verteld hoe het haar was gelukt om zo snel af te vallen; dat was te smerig voor woorden. Superstreng lijnen mocht dan sexy en bewonderenswaardig zijn, er was niets, maar dan ook helemaal niets flitsends aan het eten van kilo's vette, liefst met kaas gevulde bagger om die vervolgens uit te kotsen. Maar die slechte gewoonte had Hanna inmiddels afgeleerd, dus het deed er eigenlijk niet meer toe.

'Die vent had een stijve, zag je dat?' fluisterde Mona terwijl ze de tijdschriften bij elkaar schoof. 'Wat zou Sean daar wel niet van denken?'

'Die zou erom lachen,' antwoordde Hanna.

'Dacht het niet!'

Hanna haalde haar schouders op. 'Misschien wel.'

Mona snoof en zei: 'Ja hoor, je rokje optrekken voor een wildvreemde sluit mooi aan bij de maagdelijkheidsbelofte.'

Hanna keek naar haar paarse Michael Kors-schoenen met plateauzolen. De maagdelijkheidsbelofte. Hanna's onvoorstelbaar populaire en superlekkere vriend Sean Ackard – de jongen op wie ze al sinds de brugklas zwáár viel – gedroeg zich de laatste tijd een beetje vreemd. Hij was altijd al het type 'ideale schoonzoon' geweest – hij deed vrijwilligerswerk in het bejaardenhuis en deelde met Kerstmis kalkoen uit onder de daklozen – maar laatst, toen Hanna, Sean, Mona en een stel anderen op een avond bij Jim Freed thuis in de cederhouten jacuzzi stiekem Corona'tjes hadden zitten drinken, had Sean zijn keurige imago nog een tikkeltje opgeschroefd. Hij had enigszins trots verkondigd dat hij een 'maagdelijkheidsbelofte' had ondertekend, waarin hij verklaarde niet aan seks-vóór-het-huwelijk te doen. Iedereen, ook Hanna, was te verbijsterd geweest om te reageren. 'Ach, daar meent hij niks van,' zei Hanna nu vol vertrouwen. Hij kon het toch niet menen? Er waren een heleboel scholieren die zo'n belofte ondertekenden; Hanna zag het als een bevlieging, een trend, net als die Lance Armstrong-armbandjes en yoga-pilates. 'Zou je denken?' vroeg Mona sarcastisch, en ze streek haar lange pony uit haar ogen. 'We zullen zien hoe het vrijdag op het feest van Noel gaat.'

Hanna knarsetandde. Het leek wel of Mona haar uitlachte. 'Ik heb zin om te shoppen,' zei ze, en ze stond op.

'Tiffany?'

'Wreed.'

Ze slenterden door het gloednieuwe gedeelte van het King James-winkelcentrum, waar een Burberry, Tiffany, Gucci en Coach zaten; het rook er naar het nieuwe parfum van Michael Kors, en het was er afgeladen vol met mooie meisjes die inkopen deden voor het nieuwe schooljaar, samen met hun mooie moeders. Toen Hanna een paar weken eerder in haar eentje aan het winkelen was, had ze haar oude vriendin Spencer bij de nieuwe Kate Spade-winkel naar binnen zien gaan; ze wist nog dat Spencer vroeger altijd de hele collectie nylon schoudertassen van het nieuwe seizoen kocht, speciaal overgekomen uit New York.

Hanna vond het een gek idee om dat soort dingen te weten van iemand die haar vriendin niet meer was. En terwijl ze toekeek hoe Spencer tussen de leren reistassen en koffers snuffelde, vroeg ze zich af of Spencer nu hetzelfde dacht als zij: dat Ali DiLaurentis de nieuwe aanbouw van het winkelcentrum schitterend gevonden zou hebben. Hanna dacht vaak aan alles wat Ali had gemist: het vuurwerk van vorig jaar, de karaokeparty ter ere van Lauren Ryans zestiende verjaardag in de statige villa van haar ouders, de comeback van schoenen met ronde neuzen, leren iPod-nanohoesjes van Chanel... en de iPod nano zelf. Maar het belangrijkste wat Ali had gemist? Hanna's metamorfose natuurlijk – en dat was zó ontzettend balen! Soms, wanneer ze zwierig rondjes draaide voor haar kamerhoge spiegel, deed ze alsof Ali achter haar zat en commentaar gaf op haar outfits, net als vroeger. Hanna had zoveel jaren verspild als dikke, aanhankelijke loser, maar nu was alles totáál anders.

Mona en zij gingen naar binnen bij Tiffany; het was een en al glas, chroom en wit licht, waardoor de loepzuivere diamanten extra schitterden. Mona snuffelde tussen de vitrines en trok een wenkbrauw op naar Hanna. 'Een ketting misschien?'

'Wat dacht je van een bedelarmbandje?' fluisterde Hanna terug. 'Perfect.'

Ze liepen naar de juiste vitrine en bekeken een zilveren bedelarmband met een hartvormige schakelsluiting. 'Prachtig,' zuchtte Mona.

'Wil je hem even zien?' vroeg een elegante oudere verkoopster.

'Ach, ik weet niet,' zei Hanna.

'Het is echt wat voor jullie.' De vrouw maakte de vitrine open en tastte naar het armbandje. 'Ze staan in alle bladen.'

Hanna stootte Mona aan. 'Doe jij hem eens om.'

Mona deed de armband om. 'Hij is wel heel mooi.' De vrouw ging een andere klant helpen. Zodra ze weg was liet Mona de armband van haar pols in haar zak glijden. Huppekee.

Hanna perste haar lippen op elkaar en wenkte een andere verkoopster, een meisje met honingblond haar en koraalrode lippenstift. 'Mag ik die armband daar met dat ronde hangertje eens zien?'

'Natuurlijk!' Het meisje maakte de vitrine open. 'Ik heb er zelf ook zo een.'

'Misschien die bijpassende oorbellen?' Hanna wees ze aan.

'Natuurlijk.'

Mona was doorgelopen naar de diamanten. Hanna had de oorbellen en de armband in haar handen. Samen kostten ze driehonderdvijftig dollar. Plotseling dromde er een hele zwerm Japanse meisjes rond de toonbank, die allemaal een ander bedelarmbandje aanwezen. Hanna keek naar het plafond of er geen camera's hingen en speurde de deur af naar detectiepoortjes.

'O, Hanna, kom eens naar deze Lucida-ring kijken!' riep Mona.

Hanna wachtte even. De tijd vertraagde. Ze schoof de armband om haar pols en toen verder omhoog, haar mouw in. De oorbellen stopte ze in haar Louis Vuitton-portemonneetje met kersenmonogram. Haar hart bonsde. Dit was het leukste gedeelte van iets meepikken: het gevoel van tevoren. Ze bruiste van de energie.

Mona zwaaide met een diamanten ring naar haar. 'Staat hij me niet prachtig?'

'Kom mee.' Hanna pakte haar arm. 'We gaan naar Coach.'

'Wil je geen ring passen?' pruilde Mona. Ze treuzelde altijd nadat ze wist dat Hanna haar klus had geklaard.

'Neuh,' zei Hanna. 'De handtassen lokken.' Ze voelde de zilveren schakels van de armband licht in haar arm drukken. Ze moesten hier weg nu de Japanse meisjes zich nog verdrongen voor de toonbank. De verkoopster had nog niet eens haar kant op gekeken.

'Goed dan,' verzuchtte Mona theatraal. Ze gaf de ring – die ze vasthield bij de diamant, iets waarvan zelfs Hanna wist dat het niet zo hoorde – terug aan de verkoopster. 'De diamanten zijn te klein,' zei ze. 'Sorry.'

'We hebben wel andere,' probeerde de vrouw nog.

'Kom.' Hanna pakte Mona bij de arm.

Haar hart bonsde toen ze zich een weg baanden naar de uitgang van Tiffany. De bedeltjes rinkelden om haar pols, maar ze hield haar mouw naar beneden. Hanna was hier volkomen doorgewinterd in; het was begonnen met los snoep bij de supermarkt, daarna cd's bij Tower Records en toen T-shirtjes bij Ralph Lauren, en iedere keer had ze zich groter en heerlijk crimineel gevoeld. Met haar ogen dicht stapte ze de drempel over, en ze zette zich al schrap voor het geloei van het alarm.

Maar er gebeurde niets. Ze waren de winkel uit.

Mona kneep in haar hand. 'Heb jij er ook een?'

'Tuurlijk.' Ze liet snel de armband zien die ze om haar pols had. 'En deze.' Hanna deed haar portemonneetje open om Mona de oorbellen te tonen.

'Shit.' Mona zette grote ogen op.

Hanna glimlachte. Soms was het zó lekker om je beste vriendin af te troeven. Om het niet alsnog te verpesten liep ze snel bij Tiffany vandaan, en ze spitste haar oren om te luisteren of er niet iemand achter hen aan kwam. Maar het enige geluid was het gemurmel van de fontein en een muzakuitvoering van 'Oops! I Did it Again'.

Zeg dat wel, dacht Hanna.

4

SPENCER MOET HET VELD RUIMEN

'Lieverd, mosselen eet je niet met je vingers. Dat is onbeleefd.'
Spencer Hastings keek over de tafel heen naar haar moeder, Veronica, die nerveus een hand door haar perfect geverfde asblonde highlights haalde.

'Sorry,' zei Spencer, en ze pakte het belachelijk kleine mosselvorkje.

'Ik vind écht dat Melissa daar zo niet kan wonen, met al dat stof,' zei mevrouw Hastings tegen haar man, zonder acht te slaan op Spencers verontschuldiging.

Peter Hastings rolde met zijn hoofd en schouders. Wanneer hij niet aan het werk was als advocaat fietste hij als een bezetene over de achterafweggetjes van Rosewood in een strak, felgekleurd stretchshirtje en een wielrennersbroek, boos met zijn gebalde vuist zwaaiend naar auto's die te hard reden. Van al dat wielrennen had hij chronisch zere schouders gekregen.

'En dan dat getimmer! Ik begrijp niet dat ze nog aan studeren toekomt!' ging mevrouw Hastings verder.

Spencer en haar ouders zaten bij Moshulu, een restaurant aan boord van een klipper die in de haven van Philadelphia lag. Ze wachtten op Spencers zus Melissa, die daar samen met hen zou eten. Ze hadden iets belangrijks te vieren: Melissa had – een jaar eerder dan haar studiegenoten – haar diploma gehaald en was aangenomen op de gerenommeerde Wharton-businessopleiding van de universiteit van Pennsylvania. Het herenhuis in het centrum van Philadelphia waar ze woonde werd nu verbouwd, als cadeau van hun ouders aan Melissa.

Spencers nieuwe schooljaar op Rosewood begon al over twee dagen, en het zou een ontzettend druk jaar worden: vijf keuzevakken, leiderschapscursus, de jaarlijkse inzameling voor het goede doel organiseren, de redactie van het klassenboek, toneelrepetities, hockeytraining en zo snel mogelijk de aanvragen versturen voor een zomeropleiding – het was algemeen bekend dat deelname aan een zomerkamp de beste manier was om op een vooraanstaande universiteit toegelaten te worden. Maar er was één ding waar Spencer echt naar uitkeek: ze zou verhuizen naar de verbouwde schuur achter het huis van haar ouders. Volgens haar vader en moeder was dat de ideale voorbereiding op haar studententijd – kijk maar eens hoe goed Melissa het had gedaan! *Mag ik even een teiltje?* Maar in dit geval volgde Spencer maar al te graag de voetsporen van haar zus, aangezien die leidden naar het rustige, lichte gastenverblijf waar ze kon ontsnappen aan haar ouders en hun voortdurend blaffende labradoedels.

Tussen de zusjes bestond een stille, langlopende rivaliteit, en Spencer trok altijd aan het kortste eind: zij had op de lagere school vier keer de Fitness Award gewonnen, Melissa vijf keer. Spencer was tweede geworden bij de aardrijkskundewedstrijd in de brugklas, Melissa eerste. Spencer zat in de redactie van het klassenboek, in alle schooluitvoeringen en ze volgde dit jaar vijf keuzevakken, maar Melissa deed dat alles ook én werkte daarnaast nog op de paardenfarm van hun moeder en trainde voor de marathon van Philadelphia, die werd gehouden ten bate van het leukemiefonds. Hoe hoog Spencers cijfergemiddelde ook was of hoeveel buitenschoolse activiteiten ze ook in haar agenda wist te proppen, aan de perfectie van Melissa kon ze niet tippen.

Spencer pakte nog een mossel met haar vingers en stopte hem in haar mond. Haar vader was gek op dit restaurant, met de donkere lambrisering, dikke oosterse tapijten en de zware geuren van boter, rode wijn en de zoute zee. Daar tussen de masten en zeilen was het alsof je zo de haven in kon springen. Spencer keek uit over de rivier, de Schuylkill, naar het grote borrelende aquarium in Camden, New Jersey. Er voer een partyboot voorbij die was versierd met kerstlichtjes. Op het voordek schoot iemand een gele vuurpijl af. Op die boot hadden ze heel wat meer lol dan op deze.

'Hoe heet de vriend van Melissa ook alweer?' vroeg haar moeder.

'Wren, dacht ik.' Wren, Engels voor winterkoninkje. Het zou wel een suf en iel ventje zijn.

'Ze vertelde dat hij een artsenopleiding volgt,' zei haar moeder zwijmelend. 'Aan de universiteit van Pennsylvania.'

'Natúúrlijk,' mompelde Spencer zo zacht dat haar moeder het niet kon horen. Ze beet op een hard stukje mossel en trok een pijnlijk gezicht. Melissa zou haar vriend meebrengen naar het restaurant; ze hadden nu twee maanden verkering. De familie had hem nog niet ontmoet – hij was een tijdje de stad uit geweest of zoiets – maar de vriendjes van Melissa waren allemaal hetzelfde: doorsnee knap en goedgemanierd, en ze speelden altijd golf. Melissa had geen greintje creativiteit en wilde duidelijk het liefst een voorspelbaar vriendje.

'Mam!' klonk een bekende stem achter Spencer.

Melissa dook naar de andere kant van de tafel en gaf haar beide ouders een dikke zoen. Haar uiterlijk was niet veranderd sinds de middelbare school: het asblonde haar in een boblijn geknipt, geen make-up behalve een beetje foundation, en een gele soepjurk met vierkante halslijn, een roze vestje met parelknoopjes en schoenen met een halfhoog hakje die er wel mee door konden.

'Lieverd!' riep haar moeder uit.

'Mam, pap, dit is Wren.' Melissa trok hem dichterbij.

Spencers mond viel nog net niet open. Wren was allesbehalve suf, iel en doorsnee en hij leek niet op een winterkoninkje. Hij was lang en droeg een schitterend overhemd van Thomas Pink. Zijn zwarte haar was nonchalant geknipt, lang en warrig. Hij had een mooie huid, hoge jukbeenderen en amandelvormige ogen.

Wren gaf haar ouders een hand en ging aan tafel zitten. Melissa vroeg aan haar moeder waar ze de rekening van de loodgieter naartoe kon sturen, en Spencer wachtte tot ze zou worden voorgesteld aan Wren. Die deed intussen alsof hij zeer geïnteresseerd was in zijn enorme wijnglas.

'Ik ben Spencer,' zei ze uiteindelijk maar. Ze vroeg zich af of haar adem niet naar mosselen rook. 'De andere dochter.' Spencer knikte naar de overkant van de tafel. 'Die ene die ze altijd verborgen houden in de kelder.'

'Aha.' Wren grijnsde. 'Cool.'

Hoorde ze daar een Brits accent? 'Is het niet vreemd dat ze jou nog helemaal niets over jezelf hebben gevraagd?' Spencer gebaarde naar haar ouders. Nu hadden ze het over aannemers en de vraag welke houtsoort geschikt was voor de huiskamervloer.

Wren haalde zijn schouders op en fluisterde toen: 'Best wel.' Hij knipoogde.

Opeens pakte Melissa zijn hand. 'Ach, dus jullie hebben al kennisgemaakt,' zei ze poeslief.

'Ja.' Hij glimlachte. 'Je had me helemaal niet verteld dat je een zus hebt.'

Nee, natuurlijk niet.

'Zeg, Melissa,' zei mevrouw Hastings. 'Papa en ik vroegen ons af waar je gaat wonen tijdens die hele verbouwing, en ik heb net iets bedacht. Waarom kom je niet terug naar Rosewood om weer een paar maanden bij ons te wonen? Dan reis je op en neer naar de universiteit; je weet dat dat goed te doen is.'

Melissa trok nadenkend een rimpelneusje. Zeg alsjeblieft nee, dacht Spencer. Zeg nee!

'Tja…' Melissa schikte het bandje van haar gele jurk. Hoe langer Spencer ernaar keek, hoe meer ze vond dat de kleur Melissa iets grieperigs gaf.

Melissa keek even naar Wren. 'Nou, eh… eigenlijk willen Wren en ik… sámen in het nieuwe huis gaan wonen.'

'O!' Haar moeder lachte naar hen beiden. 'Maar… Wren mag ook wel bij ons komen wonen. Vind je niet, Peter?'

Spencer moest haar arm stevig tegen haar borsten drukken om te voorkomen dat haar hart uit haar lijf zou springen. Ze gingen *samenwonen*? Haar zus had wel lef, zeg. Spencer kon zich precies voorstellen hoe het was gegaan als zíj met zulk nieuws was gekomen. Dan zou haar moeder haar echt naar de kelder verbannen hebben – of misschien de paardenstallen. Kon ze fijn intrekken bij de geit die de paarden gezelschap hield.

'Tja, dat kan eigenlijk best,' zei haar vader. Niet te geloven! 'Het is bij ons in ieder geval rustig. Mama is bijna de hele dag in de stallen en Spencer moet natuurlijk naar school.'

'Op welke school zit je?' vroeg Wren.

'Op de *middelbare* school,' antwoordde Melissa gauw in haar plaats. Ze keek een hele tijd aandachtig naar Spencer, alsof ze zich een mening over haar wilde vormen. Van Spencers strakke, roomwitte Lacoste-tennisjurkje tot haar lange, donkerblonde golvende haar en haar tweekaraats diamanten oorbellen. 'Dezelfde school waar ik op heb gezeten. Dat heb ik nog niet gevraagd, Spence: ben je dit jaar klassenvoorzitster?'

'Vicevoorzitster,' mompelde Spencer. Ze wist zeker dat Melissa dat allang wist.

'O, ben je daar niet ontzettend blij om?' vroeg Melissa.

'Nee,' antwoordde Spencer mat. Ze had in de lente meegedongen naar het voorzitterschap, maar was niet verder gekomen dan vicevoorzitster. Ze kon niet tegen haar verlies.

Melissa schudde haar hoofd. 'Snap dat dan, Spence, het is zooooo'n hoop werk. Toen ik klassenvoorzitster was, had ik bijna nergens anders tijd voor!'

'Je hebt het inderdaad behoorlijk druk, Spencer,' mompelde mevrouw Hastings. 'Met het klassenboek en al die hockeywedstrijden...'

'Bovendien, Spence, mag jij het overnemen als de voorzitster... doodgaat of zo.' Melissa knipoogde naar haar alsof dit een of ander onderonsje was, wat niet het geval was.

Melissa wendde zich weer tot haar ouders. 'Mam, ik heb een ontzettend goed idee. Als Wren en ik nu eens de schuur nemen? Dan hebben jullie geen last van ons.'

Spencer kreeg het gevoel alsof iemand een schop in haar eierstokken had gegeven. De schúúr?

Mevrouw Hastings bracht haar gemanicuurde vinger naar haar volmaakt gestifte lippen en zei: 'Hmmm.' Toen keek ze aarzelend naar Spencer. 'Zou jij nog een paar maanden kunnen wachten, lieverd? Dan is de schuur straks helemaal voor jou.'

'O jee!' Melissa legde haar vork neer. 'Ik wist niet dat jij in de schuur zou gaan wonen, Spence! Ik wil geen problemen veroor...'

'Geeft niet,' onderbrak Spencer haar, en ze pakte gauw haar glas ijswater en nam een grote slok. Zo dwong ze zichzelf om geen woede-uitbarsting te krijgen tegenover haar ouders en de volmaakte Melissa. 'Ik kan wel wachten.'

'Echt waar?' vroeg Melissa. 'Wat lief van je!'

Haar moeder legde haar koude, magere hand op die van Spencer en zei stralend: 'Ik wist wel dat je het zou begrijpen.'

'Sorry, ik ben zo terug.' Spencer schoof draaierig haar stoel van tafel en stond op. Ze liep over de houten vloer van de boot en daarna over het zachte tapijt op de trap naar beneden, naar buiten. Ze moest vaste grond onder haar voeten voelen.

Buiten op de promenade van Penn's Landing schitterde de skyline van Philadelphia. Spencer ging op een bankje zitten en ademde zoals ze bij yoga had geleerd. Toen pakte ze haar portemonnee en begon haar geld te rangschikken. Ze draaide alle briefjes van één, vijfentwintig dollar dezelfde kant op en legde ze op alfabet op basis van de lange letter-cijfercombinatie die in groene inkt in de hoek was gedrukt. Als ze dat deed, voelde ze zich altijd meteen beter. Toen ze klaar was, keek ze naar het restaurant op het dek van het schip. Haar ouders zaten aan de rivierkant, dus ze konden haar niet zien. Spencer graaide in haar lichtbruine Hogan-tas naar haar noodpakje Marlboro en stak er een op.

Ze nam de ene woeste trek na de andere. De schuur inpikken was al vals genoeg, maar om het zo belééfd te spelen, dat was typisch Melissa – aan de buitenkant heel aardig en vanbinnen verschrikkelijk. En Spencer was de enige die het doorhad.

Ze had pas één keer wraak op Melissa genomen, een paar weken voor het einde van de brugklas. Op een avond hadden Melissa en haar toenmalige vriendje Ian Thomas samen zitten studeren voor hun examens. Toen Ian naar huis ging, had Spencer hem opgewacht bij zijn suv, die hij achter het rijtje coniferen op de oprit had geparkeerd. Ze had alleen maar willen flirten – het was zonde om die verrukkelijke Ian te verspillen aan haar suffe, brave zus – en had hem een afscheidskusje op zijn wang gegeven. Maar toen hij haar tegen het portier drukte, had ze niet geprobeerd om weg te lopen. Ze waren pas gestopt met zoenen toen zijn autoalarm begon te loeien.

Toen Spencer het naderhand aan Alison vertelde, had die gezegd dat het een gemene streek was en dat ze het aan Melissa moest opbiechten. Spencer vermoedde dat Ali gewoon baalde omdat ze al het hele jaar een wedstrijdje hielden wie de meeste oudere jongens kon versieren, en door het zoenen met Ian was Spencer bovenaan komen te staan.

Ze slaakte een diepe zucht. Het was een periode waaraan ze niet graag terugdacht. Maar ja, het oude huis van de familie DiLaurentis was pal naast dat van haar, en het slaapkamerraam van Ali keek uit op dat van Spencer, dus het was alsof Ali haar dag en nacht volgde. Ze hoefde maar uit haar raam te kijken en daar was Ali-uit-de-brugklas, die haar hockeykleren zo ophing dat Spencer ze kon zien, of die roddelend met de telefoon aan haar oor door haar kamer slenterde.

Spencer wilde graag geloven dat ze erg veranderd was sinds de brugklas. Ze waren allemaal zo gemeen geweest, vooral Alison – maar niet alléén Alison. En de allerergste herinnering was *het voorval* – Het Voorval Met Jenna. Bij de gedachte alleen al voelde Spencer zich zo afschuwelijk dat ze zou willen dat ze het uit haar geheugen kon wissen, zoals ze in die film *Eternal Sunshine of the Spotless Mind* deden.

'Roken is slecht voor je.'

Ze draaide zich om en daar stond Wren, pal naast haar. Spencer keek verbaasd naar hem. 'Wat doe jij nou hier beneden?'

'Ze zaten…' Hij maakte met zijn hand een gebaar dat druk pratende monden moest uitbeelden. 'En ik had een berichtje.' Hij haalde een BlackBerry tevoorschijn.

'O,' zei Spencer. 'Van het ziekenhuis? Ik heb gehoord dat je een belangrijk arts bent.'

'Welnee, ik ben eerstejaars medicijnen,' zei Wren, en hij wees naar haar sigaret. 'Mag ik een trekje?'

Spencer trok wrang haar mondhoeken op. 'Je zegt net dat roken slecht voor je is.' Ze gaf hem de sigaret.

'Ach, ja.' Wren nam een diepe haal van de sigaret. 'Gaat het wel goed met je?'

'Hmm, jawel.' Spencer was niet van plan haar problemen te bespreken met het vriendje van haar zus, met wie Melissa nota bene in háár schuur ging wonen. 'Waar kom jij eigenlijk vandaan?'

'Noord-Londen. Maar mijn vader is Koreaan. Hij is naar Engeland verhuisd om in Oxford te gaan studeren en hij is er blijven hangen. Iedereen vraagt hoe het zit.'

'O. Nou, dat was ik niet van plan,' antwoordde Spencer, al had ze het zich wel afgevraagd. 'Waar heb je mijn zus leren kennen?'

'Bij Starbucks. Ze stond vóór me in de rij.'

'O.' Wat ongelooflijk suf.

'Ze nam koffie verkeerd,' voegde Wren eraan toe, en hij schopte tegen de stoeprand.

'Leuk.' Spencer friemelde met het pakje sigaretten.

'Dat is nu een paar maanden geleden.' Hij nam nog een trek; zijn handen trilden een beetje en hij keek schichtig om zich heen. 'Ik vond haar al leuk voordat ze dat herenhuis kreeg.'

'Aha,' zei Spencer. Het viel haar op dat hij een beetje nerveus overkwam. Misschien kwam het door de spanning omdat hij haar ouders net ontmoet had. Of omdat hij ging samenwonen met Melissa? Als Spencer een jongen was en ze moest met Melissa samenwonen, zou ze zich vanaf het kraaiennest van Moshulu in de Schuykill storten.

Hij gaf haar de sigaret terug. 'Ik hoop dat je het niet erg vindt dat ik tijdelijk bij jullie kom wonen.'

'Nee, maakt niet uit.'

Wren likte aan zijn lippen. 'Misschien kan ik je van je rookverslaving afhelpen.'

Spencer verstarde. 'Ik ben niet verslaafd.'

'Nee, dat zal wel niet,' zei hij glimlachend.

Spencer schudde verwoed haar hoofd. 'Zo ver zou ik het nooit laten komen.' En dat was waar: ze vond het verschrikkelijk om de controle te verliezen.

Wren lachte weer. 'Nou, zo te horen weet je wat je doet.'

'Klopt.'

'Ben je in alle opzichten zo?' vroeg hij met glinsterende ogen.

Iets aan de lichte, plagende toon waarop hij het vroeg deed Spencer aarzelen. Stonden ze nou... te flirten? Ze staarden elkaar een paar seconden aan, tot er een grote groep mensen vanaf de boot de straat op liep. Spencer sloeg haar ogen neer.

'Wordt het geen tijd om terug te gaan?' vroeg Wren.

Spencer aarzelde en keek de straat door, vol taxi's die haar overal naartoe zouden kunnen brengen. Ze zou Wren bijna willen vragen met haar in een van die taxi's te stappen en naar de honkbalwedstrijd in Bank Park te gaan, om hotdogs te eten, de spelers toe te schreeuwen en te tellen hoeveel ongeldige worpen de beginnende pitcher van de Phillies gooide. Ze kon de eersterangs plaatsen van haar vader gebruiken – die bleven meestal toch leeg – en ze durfde te wedden dat het iets was waar Wren van hield. Waarom zouden ze terug naar binnen gaan, waar haar familie hen gewoon weer zou negeren? Er stond een taxi bij het stoplicht, hooguit een meter bij hen vandaan. Ze keek ernaar, en toen naar Wren. Maar nee, dat kon ze niet maken. En wie moest haar plaats als viceklassenvoorzitster innemen als zij werd vermoord door haar eigen zus? 'Na u,' zei Spencer, en ze hield de deur voor hem open zodat ze weer aan boord konden gaan.

5

'MENEER' FITZ

'Hé, Finland!'

Dinsdag, de eerste schooldag, liep Aria snel naar het lokaal waar ze Engels had. Toen ze omkeek, zag ze Noel Kahn in zijn trui van Rosewood Day met stropdas in een drafje haar kant op komen.

'Hoi.' Aria knikte en liep door.

'Je bent 'm laatst gesmeerd tijdens onze training,' zei Noel, terwijl hij naast haar kwam lopen.

'Had je soms verwacht dat ik was blijven kijken?' Aria keek vanuit haar ooghoeken naar hem. Hij had een rood hoofd van inspanning.

'Ja. Dan had je onze scrimmage kunnen zien, en ik heb drie goals gescoord.'

'Knap, hoor,' zei Aria met een stalen gezicht. Moest ze nou onder de indruk zijn?

Ze liep verder door de gang van Rosewood Day, waarover ze in IJsland helaas veel te vaak had gedroomd. Boven haar hoofd waren diezelfde gebroken witte gewelfde plafonds. Onder haar voeten dezelfde boerderijachtig knusse houten vloeren. Rechts en links van haar hingen de gebruikelijke foto's van suffe ex-leerlingen en aan de linkerkant stonden slordige rijen metalen kastjes vol deuken. Door de boxen klonk zelfs nog dezelfde muziek, *1812 Ouverture*, die altijd tussen de lessen door werd gedraaid omdat die 'mentaal stimulerend' zou zijn. Ze werd ingehaald door precies dezelfde mensen die ze al een eeuwigheid kende... en ze staarden haar allemaal aan.

Aria hield haar hoofd gebogen. Toen ze aan het begin van de tweede klas naar IJsland was verhuisd, had iedereen haar gekend als deel van een groepje verdrietige meisjes van wie de beste vriendin op een onverklaarbare manier was verdwenen. In die tijd werd er overal waar ze kwam achter haar rug gefluisterd.

Nu leek het wel of ze nooit weg was geweest. En het was bijna alsof Ali hier nog was. Aria's adem stokte toen ze in een flits een blonde paardenstaart de hoek om zag gaan naar de gymzaal. En toen ze langs het pottenbakkerslokaal liep, waar ze vroeger altijd tussen de lessen door met Ali afsprak om even te roddelen, kon ze haar bijna horen roepen: 'Hé, wacht op mij!' Ze legde haar hand tegen haar voorhoofd om te voelen of ze soms koorts had.

'Wat is jouw eerste les?' vroeg Noel, die nog steeds met haar meeliep.

Ze keek verbaasd naar hem en raadpleegde toen haar rooster. 'Engels.'

'Ik ook. Van meneer Fitz?'

'Ja,' mompelde ze. 'Is dat een goede leraar?'

'Geen idee, hij is nieuw. Maar ik heb gehoord dat hij het Fulbright-onderwijsprogramma heeft gevolgd.'

Aria keek wantrouwend naar hem. Sinds wanneer was Noel Kahn geïnteresseerd in de kwaliteiten van een leraar? Toen ze de hoek om kwam, zag ze in de deuropening van het lokaal van Engels een meisje staan dat haar bekend voorkwam maar tegelijk iets vreemds had. Ze was zo dun als een fotomodel, had lang roodbruin haar en droeg een opgerold geruit Rosewood-uniformrokje, paarse schoenen met plateauzolen en een bedelarmbandje van Tiffany.

Aria's hart begon te bonzen. Ze was bang geweest voor haar eigen reactie wanneer ze haar oude vriendinnen terugzag, en daar stond Hanna. Wat was er met háár gebeurd?

'Hoi,' zei Aria zachtjes.

Hanna draaide zich om en bekeek Aria van top tot teen, van haar lange, wilde bos haar, de witte Rosewood Day-blouse en de dikke Bakelite-armbanden tot haar afgetrapte bruine rijglaarsjes. Even bleef haar gezicht uitdrukkingsloos, maar toen glimlachte ze.

'Het is niet wáár!' riep Hanna uit. Gelukkig had ze nog wel haar oude, vertrouwde hoge stem. 'Hoe was het in... waar zat je ook alweer? Tsjecho-Slowakije?'

'Eh… ja,' antwoordde Aria. Ze zat er niet eens zo heel ver naast.
'Gaaf!' Hanna lachte zuinig naar Aria.

'Kirsten ziet eruit alsof ze rechtstreeks uit South Beach komt,' kwam een meisje dat naast Hanna stond tussenbeide. Aria keek opzij en probeerde haar te plaatsen. Mona Vanderwaal? De laatste keer dat Aria haar had gezien had Mona een miljard piepkleine vlechtjes in haar haar gehad en scooter gereden. Nu zag ze er nog flitsender uit dan Hanna.

'Ja, vind je ook niet?' zei Hanna instemmend. Toen haalde ze verontschuldigend haar schouders op naar Aria en Noel – die daar nog steeds stond. 'Sorry, ik moet jullie verlaten.'

Aria liep het lokaal in en plofte neer op de eerste vrije plek die ze zag. Ze legde haar hoofd op de lessenaar en zuchtte geëmotioneerd.

'De hel, dat zijn de anderen,' zei ze toonloos. Het was haar lievelingscitaat van de Franse filosoof Jean-Paul Sartre, en de perfecte mantra voor Rosewood.

Een paar tellen wiegde ze heen en weer als een doorgedraaide patiënt. Het enige wat haar tot rust kon brengen was de gedachte aan Ezra, de jongen die ze bij Snookers had ontmoet. Hij was met haar meegegaan naar de toiletten, had haar gezicht beetgepakt en haar gezoend. Hun monden pasten precies – ze hadden niet één keer elkaars tanden geraakt. Zijn handen hadden haar onderrug gestreeld, en haar buik en benen. Ze had echt een band met hem gevoeld. Oké, sommige mensen zouden misschien zeggen dat die band niet verder ging dan… hun tongen, maar Aria wist dat er meer was.

Gisteravond was ze zo in beslag genomen geweest door de herinneringen aan Ezra dat ze een haiku over hem had geschreven om haar gevoelens te uiten – de haiku was haar favoriete dichtvorm. Ze was zo tevreden geweest over het resultaat dat ze het had ingetoetst op haar telefoon en het had ge-sms't naar het nummer dat Ezra haar had gegeven.

Nu slaakte Aria een gekwelde zucht terwijl ze om zich heen keek in het lokaal. Het rook er naar boeken en boenwas. De grote ramen, die in vier kleinere ruiten waren verdeeld, boden uitzicht op het gazon op het zuiden, met daarachter de uitgestrekte groene heuvels. Een paar bomen begonnen al geel en oranje te worden. Naast het schoolbord hing een poster met Shakespeare-citaten en iemand had een sticker met de tekst MEAN PEOPLE SUCK op de muur geplakt. Zo te zien had de conciërge geprobeerd die van de muur te schrapen, maar had hij het halverwege opgegeven.

Had ze zich niet laten kennen door Ezra om halfdrie 's nachts te sms'en? Ze had nog niets van hem gehoord. Aria pakte haar telefoon uit haar tas. Op het schermpje stond '1 bericht ontvangen'. Haar maag maakte een sprongetje van opluchting, blijdschap en nervositeit tegelijk. Maar net toen ze op 'bekijken' wilde drukken, klonk er een stem die haar tegenhield.

'Pardon, eh... je mag op school je telefoon niet gebruiken.'

Aria bedekte haar mobieltje met haar handen en keek op. De man die het had gezegd – de nieuwe leraar, nam ze aan – stond met zijn rug naar de klas op het bord te schrijven. Er stond alleen nog maar *meneer Fitz*. Hij had een vel papier in zijn hand met het Rosewood-logo erop. Van achteren zag hij er jong uit. Een paar andere meisjes in de klas namen hem goedkeurend op terwijl ze een plekje uitzochten. Hanna – de nieuwe, mooie Hanna – floot zelfs.

'Ik mag dan nieuw zijn,' zei hij, en hij schreef *docent Engels* onder zijn naam, 'maar ik heb een formuliertje gekregen van de schoolleiding en daar staat iets op over een verbod op mobiele telefoons binnen de school.' Toen draaide hij zich om. Het vel papier dwarrelde uit zijn hand op de linoleumvloer.

Aria kreeg onmiddellijk een droge mond. Daar voor de klas stond Ezra uit de bar. Ezra, de ontvanger van haar haiku. Háár Ezra, lang en prachtig in zijn Rosewood-jasje met stropdas, zijn haar gekamd, de knopen keurig recht, met een leren agenda onder zijn linkerarm geklemd. Hij stond voor het schoolbord en had er zojuist *meneer Fitz, docent Engels* op geschreven.

Toen hij haar aanstaarde, trok alle kleur uit zijn gezicht. *'Holy shit.'*

De hele klas draaide zich om om te zien waar hij naar keek. Aria wilde niet terugstaren, dus keek ze naar haar sms'je.

```
Aria, wat een verrassing! Wat zal dat poppenkast-
varkentje van je híér nou van denken? -A.
```

Inderdaad: *holy shit.*

6

NET ALS IN FRANKRIJK!

Dinsdagmiddag stond Emily voor haar groene metalen kastje na de laatste bel van die dag. Op het kastje zaten nog haar oude stickers van vorig jaar: USA Swimming, Liv Tyler als elf Arwen, en een magneetje met de tekst KAMPIOEN NAAKTZWEMMEN VLINDERSLAG. Haar vriend Ben dook naast haar op.

'Wil jij iets van Wawa?' vroeg hij. Zijn jasje van het zwemteam hing losjes om zijn lange, gespierde lijf en zijn blonde haar zat een beetje warrig.

'Nee, dank je,' antwoordde Emily. Omdat ze na school om half-vier moesten trainen, bleven de zwemmers meestal op school en ging een van hen naar de supermarkt om voor de hele groep frisdrank, ijsthee of snoep in te slaan, zodat ze ertegen konden als ze weer een miljoen baantjes moesten zwemmen.

Een stel jongens stopte op weg naar het parkeerterrein om Ben een vriendschappelijke mep te geven. Spencer Hastings, die vorig jaar met geschiedenis bij Ben in de klas had gezeten, zwaaide. Emily had al teruggezwaaid voordat het tot haar doordrong dat Spencer naar Ben keek, niet naar haar. Het was moeilijk voor te stellen dat ze, na alles wat ze samen hadden doorgemaakt en alle geheimen die ze hadden gedeeld, nu vreemden voor elkaar waren.

Toen iedereen doorgelopen was, keek Ben haar met opgetrokken wenkbrauwen aan. 'Je hebt je jasje aan. Ga je niet mee trainen?'

'Eh...' Emily deed haar kastje dicht en gaf een zwieper aan het draaislot. 'Heb je dat meisje gezien dat ik vandaag heb rondgeleid? Ik loop met haar mee naar huis omdat het haar eerste dag is.'

Hij lachte spottend. 'Goh, wat zijn we weer lief. De ouders van nieuwe leerlingen betálen voor zo'n rondleiding, maar jij doet het gratis.'

'Toe nou.' Emily lachte ongemakkelijk. 'Het is maar tien minuten lopen.'

Ben keek haar aan en knikte vaag. 'Wat is er nou? Ik probeer gewoon aardig te zijn!'

'Ja, oké,' zei hij met een lachje. Hij wendde zijn blik af om naar Casey Kirschner te zwaaien, de aanvoerder van het worstelteam.

Vlak nadat Ben de zijtrap naar het studentenparkeerterrein af was gelopen verscheen Maya. Ze droeg een wit spijkerjasje over haar Rosewood-blouse en had Oakley-teenslippers aan. Haar teennagels waren niet gelakt. 'Hallo.'

'Hallo.' Emily probeerde opgewekt te klinken, maar ze voelde zich ongemakkelijk. Misschien had ze gewoon met Ben naar de training moeten gaan. Was het raar om Maya naar huis te brengen en daarna meteen terug te lopen?

'Klaar?' vroeg Maya.

De meisjes liepen samen over de campus, die voornamelijk bestond uit een stel stokoude stenen gebouwen, gelegen aan een kronkelig achterafstraatje in Rosewood. Er was zelfs een gotische klokkentoren, die ieder uur sloeg. Eerder die dag had Emily Maya alle standaard schooldingen laten zien, maar ook de coole kanten van Rosewood die je normaal gesproken zelf moest ontdekken, zoals de gevaarlijke toiletpot op de meisjes-wc op de begane grond die soms als een geiser water de lucht in spoot; het geheime plekje op de heuvel waar je naartoe kon als je spijbelde met gym (niet dat Emily dat ooit zou doen) en de enige frisdrankautomaat met Vanilla Coke, haar lievelingsdrankje. Ze hadden zelfs al een onderling grapje gevormd over het brave, tuttige fotomodel op de antirook-posters die voor de spreekkamer van de schoolverpleegster hingen. Het was een fijn gevoel om weer een onderonsje met iemand te hebben.

Nu ze samen de kortste weg namen naar Maya's huis, door een ongebruikt maïsveld, bekeek Emily ieder detail van Maya's gezicht, van haar wipneusje en haar koffiekleurige huid tot haar hals waar de kraag van haar blouse maar niet wilde blijven zitten. Bij het zwaaien van hun armen raakten hun handen elkaar telkens even. 'Het is hier zo anders,' zei Maya, en ze snoof de lucht op. 'Het ruikt naar dennenspray!' Ze trok haar spijkerjasje uit en rolde de mouwen van haar blouse op. Emily frunnikte aan haar haar en wenste dat het net zo donker en golvend was als dat van Maya, in plaats van haar eigen, door het chloorwater gebleekte, een beetje groenig uitgeslagen tint roodblond. Emily werd ook onzeker over haar figuur: ze was wel sterk en gespierd, maar niet meer zo slank als vroeger. Normaal gesproken was ze daar niet zo mee bezig, zelfs niet als ze haar badpak aanhad en ze dus bijna naakt rondliep.

'Hier heeft iedereen wel iets waar hij heel fanatiek in is,' ging Maya verder. 'Zoals Sarah, die bij me in de klas zit bij natuurkunde. Ze wil een band oprichten en vroeg of ik mee wilde doen!'

'Echt? Wat speel je dan?'

'Gitaar. Van mijn vader geleerd. Mijn broer is veel beter dan ik, maar wat geeft het?'

'Wauw,' zei Emily. 'Cool.'

'O, ik heb een idee!' Maya pakte Emily's arm. Eerst kromp Emily in elkaar, maar ze ontspande zich algauw weer. 'Jij moet ook bij de band komen! Zou dat niet leuk zijn? Sarah zegt dat we drie keer per week repeteren na school. Ze speelt bas.'

'Ik speel alleen maar fluit,' zei Emily, en ze besefte meteen dat ze klonk als Ieoor uit *Winnie de Poeh*.

'Dat zou super zijn!' Maya klapte in haar handen. 'Bas en drum!'

Emily zuchtte. 'Dat gaat niet, na school moet ik zwemmen. Zo'n beetje iedere dag.'

'Hmm,' zei Maya. 'Kun je dat niet een keer overslaan? Je zou vast een goeie drummer zijn.'

'Mijn ouders zouden me vermoorden.' Emily hield haar hoofd schuin en keek naar de oude ijzeren spoorwegbrug boven hen. Er reden daar geen treinen meer; tegenwoordig kwamen er vooral scholieren alcohol drinken zonder dat hun ouders het wisten.

'Hoezo?' vroeg Maya. 'Wat is er zo belangrijk aan dat zwemmen?'

Emily zweeg even. Wat moest ze daar nou op antwoorden? Dat haar ouders van haar verwachtten dat ze bleef zwemmen omdat Carolyn al was gespot door scouts van Stanford? Dat haar oudere broer Jake en oudste zus Beth allebei in het zwemteam van de Universiteit van Arizona zaten? Dat het als een mislukking voor de familie gezien zou worden als ze niet op basis van haar zwemprestaties een beurs kreeg voor een topuniversiteit? Maya durfde zomaar te blowen wanneer haar ouders even naar de supermarkt waren. Daarmee vergeleken waren Emily's ouders oude, conservatieve en strenge provinciaaltjes. Wat ze sowieso waren, maar goed.

'Er is een kortere weg naar huis.' Emily gebaarde naar het gazon van het grote, koloniale huis aan de overkant van de straat waar zij en haar vriendinnen vroeger in de winter altijd overheen liepen om sneller bij Ali's huis te zijn.

Ze liepen het gras op en ontweken de sproeier die de hortensia's bewaterde. Toen ze zich door de stekelige takken een weg baanden naar Maya's achtertuin, bleef Emily met een ruk staan. Er kwam een raar geluidje achter uit haar keel.

Ze was al tijden niet in deze tuin – Ali's oude tuin – geweest. Daar, achter het gazon, was de teakhouten veranda waar ze urenlang spelletjes had gedaan met Ali. En daar was het kale stuk gras waar ze de witte speakers van Ali's iPod hadden neergezet om dansfeestjes te geven. Links van haar stond de vertrouwde knoestige eik. De boomhut was weg, maar in de schors van de stam stonden nog de initialen EF + AD gekerfd: Emily Fields + Alison DiLaurentis. Emily's gezicht gloeide. Ze had destijds niet precies geweten waarom ze hun namen in de stam kerfde; ze had Ali gewoon willen laten weten hoe blij ze was dat ze vriendinnen waren.

Maya, die vóór haar liep, keek om en vroeg: 'Is er iets?'

Emily stopte haar handen diep in haar jaszakken. Even overwoog ze om Maya over Ali te vertellen, maar toen zoefde er een kolibrie langs en durfde ze ineens niet meer. 'Nee, hoor.'

'Kom je nog even binnen?' vroeg Maya.

'Nee... ik... ik moet terug naar school,' antwoordde Emily. 'Zwemmen.'

'O.' Maya kneep haar ogen tot spleetjes. 'Dan had je niet hoeven meelopen, joh.'

'Ik was bang dat je de weg niet zou weten.'

'Wat ben je toch een schatje.' Maya vouwde haar handen achter haar rug en zwaaide met haar heupen. Emily vroeg zich af wat ze met dat 'schatje' bedoelde. Praatte iedereen zo in Californië?

'Nou, veel plezier in het zwembad dan maar,' zei Maya. 'En bedankt voor je rondleiding van vandaag.'

'Graag gedaan.' Emily deed een stap naar voren en ze omhelsden elkaar vriendschappelijk.

'Hmm,' zei Maya, en ze trok Emily dichter tegen zich aan. Toen deden ze allebei een stapje terug en ze grinnikten even naar elkaar. Maya boog naar voren en kuste Emily op beide wangen. 'Mwah, mwah!' zei ze. 'Net als in Frankrijk.'

'Nou, dan doe ik ook maar net als in Frankrijk,' giechelde Emily, en even vergat ze Ali en de boom. 'Mwah!' Ze kuste Maya op haar linkerwang.

Toen kuste Maya haar weer, op haar rechterwang, maar deze keer een tikkeltje dichter bij haar mond. Ze deed er nu geen *mwah* bij.

Maya's mond rook naar bananenkauwgum. Emily deinsde achteruit en pakte haar zwemtas voordat die van haar schouder gleed. Toen ze opkeek, stond Maya naar haar te grijnzen.

'Doei,' zei Maya. 'Braaf zijn, hè?'

Emily stopte na de training haar handdoek in haar zwemtas. De hele middag was in een waas voorbijgegaan. Nadat Maya in huis was verdwenen was Emily op een drafje terug naar school gegaan – alsof hardlopen de knoop van verwarde gevoelens in haar binnenste zou ontrafelen. Terwijl ze zich in het water liet glijden en baantje na baantje zwom, zag ze steeds de initialen in de boom voor zich. Nadat de coach het fluitsignaal had gegeven en ze gingen oefenen op start en keren, rook Emily in gedachten Maya's bananenkauwgum en hoorde ze haar vrolijke, zorgeloze lach. Toen ze bij haar kleedkastje stond, wist ze bijna zeker dat ze haar haren twee keer had gewassen. De meeste andere meisjes waren achtergebleven in de gezamenlijke doucheruimte om te roddelen, maar Emily was te ver heen om mee te doen.

Toen ze haar T-shirt en spijkerbroek wilde pakken, die keurig opgevouwen op de plank van haar kastje lagen, dwarrelde er een briefje tussenuit. Emily's naam stond erop, in een onbekend handschrift. Het ruitjespapier kwam haar ook niet bekend voor. Ze raapte het op van de koude, natte vloer.

Hoi Em,
Snik! Mijn plaats is ingenomen! Je kust nu een ander vrien-
dinnetje!
-A.

Emily krulde haar tenen op de rubbermat in de kleedkamer en hield even haar adem in. Ze keek om zich heen. Niemand lette op haar.

Was dit echt?

Ze staarde naar het briefje en probeerde helder na te denken. Maya en zij hadden daar wel in het openbaar gestaan, maar er was niemand in de buurt geweest.

En... '*Mijn plaats is ingenomen*'? '*Je kust nu een ander vriendin-netje*'? Emily's handen trilden. Ze keek nog eens naar de letter A onder het briefje. Het gelach van de andere zwemmers weerkaatste tegen de muren.

Emily had maar één andere vriendin gekust, twee dagen nadat ze hun initialen in die eik had gekerfd en slechts anderhalve week voor het einde van de brugklas.

Alison.

7

SPENCER HEEFT PIJN IN HAAR MUSCULUS DELTOÏDEUS

'Moet je dat kontje zien!'

'Hou je kop!' Spencer mepte haar vriendin Kirsten Cullen met haar hockeystick tegen haar scheenbeschermer. Ze moesten op de verdediging trainen, maar ze hadden het – net als de rest van het team – te druk met het begluren van de nieuwe assistent-trainer. Dat was niemand minder dan Ian Thomas.

Spencers huid tintelde van de adrenaline. 'Wat bizar! Ze kon zich herinneren dat Melissa had gezegd dat Ian was verhuisd naar Californië. Maar ja, er kwamen wel meer mensen van wie je het niet verwachtte terug naar Rosewood.

'Wat ontzettend stom van je zus dat ze het toen met hem heeft uitgemaakt,' zei Kirsten. 'Het is zó'n lekker ding.'

'Ssst,' antwoordde Spencer giechelend. 'Trouwens, mijn zus heeft het niet uitgemaakt, híj heeft het uitgemaakt.'

Het fluitsignaal klonk. 'Actie!' riep Ian hun toe, terwijl hij op een drafje aan kwam lopen. Spencer bukte om haar veter vast te maken, alsof hij haar niks deed. Ze voelde zijn ogen op zich gericht.

'Spéncer? Spencer Hastings?'

Spencer kwam langzaam omhoog. 'Ach. Ian was het toch?'

Ian grijnsde zo breed dat het haar verbaasde dat zijn wangen niet uitscheurden. Hij had nog steeds die typisch Amerikaanse uitstraling, dat 'als ik vijfentwintig ben, neem ik de zaak van mijn vader over'-uiterlijk, maar zijn krullen waren nu iets langer en nonchalanter. 'Wat ben je… groot geworden!' riep hij uit.

'Tja.' Spencer haalde haar schouders op.

Ian wreef met zijn hand in zijn nek. 'Hoe gaat het met je zus?'

'Eh, goed. Voortijdig haar diploma gehaald. Gaat naar Wharton.'

Ian boog zijn hoofd. 'En proberen haar vriendjes jou nog steeds te versieren?'

Spencers mond viel open. Voordat ze antwoord kon geven blies de hoofdtrainer, juffrouw Campbell, op haar fluitje en riep ze Ian terug.

Kirsten greep Spencer bij haar arm zodra hij zich had omgedraaid. 'Jij hebt dus écht wel iets met hem gehad, hè?'

'Hou je kop!'

Toen Ian naar het middenveld draafde, keek hij even over zijn schouder. Spencer haalde diep adem en bukte om naar de noppen onder haar schoen te kijken. Hij hoefde niet te weten dat ze naar hem had staan staren.

Toen ze thuiskwam van de training deed Spencers hele lijf zeer, van haar kont tot haar schouders tot haar kleine teentjes. Ze had de hele zomer commissies samengesteld, zitten blokken op woordjes voor haar examen en de hoofdrol gespeeld in drie verschillende toneelstukken in Muesli, het theater van Rosewood: Miss Jean Brodie in *The Prime of Miss Jean Brodie*, Emily in *Our Town* en Ophelia in *Hamlet*. Door dat alles had ze geen tijd gehad om in topvorm te blijven voor het hockey, en dat was nu goed te voelen.

Ze zou het liefst naar boven gaan, in bed kruipen en niet denken aan alles wat de veel te drukke dag van morgen weer zou brengen: ontbijt met de Franse leesclub, de ochtendmededelingen voorlezen, vijf keuzevakken, try-outs voor toneel, een bliksembezoek aan de jaarboekcommissie en weer zo'n loodzware hockeytraining bij Ian.

Ze maakte de brievenbus aan het einde van hun oprijlaan open in de hoop dat de uitslag van haar toelatingsexamens er zou zijn. Die kon nu ieder moment binnenkomen, en ze had er een goed gevoel over – beter dan ze ooit had gehad over haar examens. Helaas was er alleen een stapel rekeningen, informatie van haar vaders vele investeringsfondsen en een folder die was gericht aan J. (van Jill)

Spencer Hastings, van Appleboro College in Lancaster, Pennsylvania. Ja hoor, alsof ze dáár naartoe zou gaan.

Binnen legde ze de post op het marmeren blad van het kookeiland, en ze kneedde haar schouders en dacht: ik ga buiten in de jacuzzi. Lekker relaxen. Ooo ja, dat doe ik.

Ze begroette Rufus en Beatrice, de labradoedels van het gezin, en gooide wat speeltjes voor ze de tuin in. Toen sjokte ze moeizaam over het stenen pad naar de kleedhokjes bij het zwembad. Bij de deur bleef ze staan, klaar om te douchen en haar bikini aan te trekken, maar ineens dacht ze: waarom zou ik? Ze was te moe om zich om te kleden en er was toch niemand thuis. Bovendien ging de jacuzzi schuil achter rozenstruiken. Het water borrelde uitnodigend toen ze aan kwam lopen, alsof het naar haar komst uitkeek. Ze kleedde zich uit tot op haar beha, onderbroek en grote hockeysokken, strekte zich uit om haar rug te rekken en stapte in het dampende water. Dat was stukken beter.

'O.'

Spencer draaide zich om. Naast de rozen stond Wren, met ontbloot bovenlijf en de meest sexy Polo-onderbroek die ze ooit had gezien.

'Oeps,' zei hij, en hij bedekte zichzelf met een handdoek.

'Jij komt morgen pas!' flapte Spencer eruit, ook al was hij duidelijk nú hier; vandaag dus, en niet morgen.

'Dat klopt. Maar je zus en ik zijn naar Frou geweest,' zei Wren, en hij trok een gezicht. Frou was zo'n overdreven chique winkel een paar stadjes verderop waar een kussensloop al duizend dollar of zoiets kostte. 'Ze moest nog iets anders doen en zei dat ik hier maar vast met mezelf moest gaan spelen.'

Spencer hoopte maar dat dat gewoon een bizarre Engelse uitdrukking was. 'O,' zei ze.

'Ben je net thuis?'

'Ik heb gehockeyd.' Spencer leunde achterover en ontspande zich een beetje. 'De eerste training dit jaar.' Ze keek gauw naar haar wazige ondergoed onder water. Shit, ze had haar sokken nog aan. En haar hoge, bezwete slip en sportbeha! Net toen ze zichzelf in gedachten voor haar kop sloeg omdat ze niet die nieuwe gele Eres-bikini had aangetrokken, besefte ze dat dat nergens op sloeg.

'Ik had er ook in willen gaan,' zei Wren, 'maar als je liever alleen bent, ga ik wel binnen tv-kijken.' Hij wilde al weglopen.

Spencer voelde een steek van teleurstelling. 'Eh, nee hoor,' zei ze. Hij bleef staan. 'Kom er maar bij. Ik vind het niet erg.' Toen hij met zijn rug naar haar toe stond, trok ze snel haar sokken uit en slingerde ze de struiken in. Ze kwamen met een natte plof neer. 'Weet je het zeker, Spencer?' zei Wren. Ze vond het prachtig hoe hij haar naam uitsprak met dat Britse accent van hem: Spen-*saah*. Hij stapte schuchter in de jacuzzi. Spencer bleef angstvallig aan haar eigen kant en trok onder water haar benen in. Wren leunde met zijn hoofd achterover op de tegels en zuchtte diep. Spencer volgde zijn voorbeeld en deed haar best om niet te denken aan de kramp en spierpijn die ze door haar houding in haar benen kreeg. Aarzelend strekte ze er een, en ze raakte Wrens pezige kuit aan.

Met een ruk trok ze haar voet terug. 'Sorry.'

'Geeft niet,' zei Wren. 'Dus je hockeyt? Ik heb geroeid voor Oxford.'

'Echt?' Spencer hoopte maar dat het niet te dweperig klonk. Haar favoriete aanblik bij het binnenrijden van Philadelphia waren de mannenteams van Penn en Temple die op de Schuylkill roeiden.

'Ja,' zei hij. 'Prachtsport. Vind je het leuk, hockeyen?'

'Eh, niet echt.' Spencer maakte haar haar los uit het elastiekje en schudde haar hoofd, maar toen vroeg ze zich af of Wren dat niet aanstellerig en idioot zou vinden. De vonk die tussen hen was overgesprongen bij Moshulu had ze zich waarschijnlijk gewoon verbeeld.

Hoewel... Wren was daarnet wél bij haar in bad gestapt.

'Als je het niet leuk vindt, waarom hockey je dan?' vroeg hij.

'Omdat het goed staat op mijn aanvraag voor de universiteit.'

Wren ging wat rechter zitten; het water spatte op. 'Is dat zo?'

'Ja, hè hè.' Spencer ging verzitten en trok een pijnlijk gezicht toen ze kramp kreeg in haar schouderspier.

'Gaat het?' vroeg Wren.

'Ja, niks aan de hand,' antwoordde Spencer, en ineens werd ze overvallen door een onverklaarbare wanhoop. Het was pas de eerste schooldag en ze was nu al finaal opgebrand. De gedachte aan al dat huiswerk, de lijstjes die ze moest maken en de teksten die ze moest leren... Ze had het te druk om door te draaien, anders was dat allang gebeurd.

'Last van je schouder?'

'Ja.' Spencer probeerde ermee te draaien. 'Bij hockey sta je veel krom, ik denk dat ik iets heb verrekt of zo...'

'Ik kan er wel wat aan doen, denk ik.'

Spencer staarde hem aan. Plotseling had ze zin om haar hand door zijn borstelige haar te halen. 'Dat hoeft niet. Maar toch bedankt.'

'Kom op,' zei hij. 'Ik bijt niet, hoor.'

Daar had Spencer zo'n hekel aan, als mensen dat zeiden.

'Ik ben dokter,' ging Wren verder. 'Ik durf te wedden dat het je musculus deltoïdeus is.'

'Eh... oké.'

'Je schouderspier.' Hij wenkte haar dichterbij. 'Kom eens hier. Serieus, we moeten hem los masseren.'

Spencer durfde er niets uit op te maken. Per slot van rekening was hij dokter. Hij gedroeg zich gewoon dokterachtig. Ze liet zich naar hem toe drijven en hij drukte zijn handen in haar nek, in het midden van haar rug, met zijn duimen in de spiertjes rond haar ruggengraat. Ze deed haar ogen dicht.

'Wauw, dat is lekker,' mompelde ze.

'Er heeft zich vocht opgehoopt in je slijmbeurs.' Spencer deed haar best om niet te giechelen. Toen hij met zijn hand onder haar behabandje ging om er beter bij te kunnen, moest ze even slikken. Ze probeerde aan niet-sexy dingen te denken: het neushaar van oom Daniel, het benepen gezicht van haar moeder als ze paardreed, en die keer dat haar kat Kitten een mol had gevangen bij de rivier en hij het lijkje in haar slaapkamer had gelegd. *Wren is arts,* hield ze zichzelf voor. *Dit doen artsen nou eenmaal.*

'Je borstspieren zijn ook een beetje gespannen,' zei Wren, en tot haar grote schrik gingen zijn handen naar de voorkant van haar lichaam. Hij liet zijn vingers weer onder haar beha glijden, en plotseling gleed het bandje van haar schouder. Spencer haalde diep adem, maar Wren ging gewoon door. *Dit is de dokter,* bracht ze zichzelf nogmaals in herinnering. Maar toen besefte ze dat hij pas eerstejaarsstudent medicijnen was. *Hij wórdt dokter,* verbeterde ze zichzelf. *Ooit. Over een jaar of tien.*

'Eh, waar is mijn zus?' vroeg ze zachtjes.

'In de winkel, denk ik. Wawa?'

'Wawa?' Spencer dook bij Wren vandaan en hees haar behabandje over haar schouder. 'Dat is maar anderhalve kilometer hiervandaan! Als ze daarheen gaat, is het voor een pakje sigaretten of
zo. Dan kan ze ieder moment terugkomen!'
'Volgens mij rookt ze niet.' Wren hield vragend zijn hoofd schuin.
'Je weet best wat ik bedoel!' Spencer ging in het bad staan, pakte haar Ralph Lauren-handdoek en begon verwoed haar haar
droog te wrijven. Ze had het bloedheet. Haar huid en botten – zelfs
haar organen en zenuwen – voelden alsof ze in de jacuzzi gekookt
waren. Ze stapte eruit en vluchtte het huis in, op zoek naar een gigantisch glas water.
'Spencer!' riep Wren haar na. 'Het was niet mijn bedoeling
om... Ik wilde je alleen maar helpen.'
Maar Spencer hoorde het niet. Ze holde naar haar kamer en
keek daar om zich heen. Al haar spullen zaten nog in dozen, klaar
om naar de schuur verhuisd te worden. Ineens wilde ze alles opgeruimd hebben. Haar sieradendoos moest gesorteerd worden op
edelsteensoort. Haar computer zat dichtgeslibd met oude opstellen voor Engels van twee jaar geleden, en ook al had ze er destijds
negens voor gekregen, waarschijnlijk waren ze gênant slecht en
moesten ze nodig gewist worden. Ze staarde naar de boeken in de
dozen. Die moesten gerangschikt worden op onderwerp, niet op
schrijver. Logisch. Ze trok ze uit de doos en begon ze op de plank
te zetten, te beginnen bij de A van *adultery*, overspel, voor *De rode
letter* van Hawthorne.

Maar tegen de tijd dat ze was aangekomen bij 'Utopieën die uit
de hand gelopen zijn' voelde ze zich nog geen haar beter. Dus zette
ze haar computer aan en legde de draadloze muis, die aangenaam
koel was, even achter in haar nek.

Ze klikte haar e-mailprogramma aan en zag een ongeopend bericht. Het onderwerp was 'vocabulaire'. Nieuwsgierig klikte ze het
aan.

Spencer,
'Begeren' is een makkelijk woord. Als iemand iets begeert, ver-
langt hij of zij daarnaar. Meestal gaat het om iets onbereik-
baars. Maar dat probleem heb jij altijd al gehad, hè?
-A

Spencers maag draaide om. Ze keek om zich heen.

Wie kon het verdomme gezien hebben?

Ze zwaaide het grootste raam van haar slaapkamer open, maar de halfronde oprit van de familie Hastings was leeg. Spencer keek rond. De tuinman van de buren was een heg aan het snoeien bij hun toegangshek. In de tuin naast het huis zaten de honden elkaar achterna. Een paar vogels vlogen naar het topje van een telefoonpaal.

Toen werd haar blik getrokken door iets voor het bovenraam van de buren: een flits blond haar. Maar die nieuwe familie was toch zwart? Er trok een ijskoude rilling langs haar ruggengraat. Dat was Ali's oude slaapkamerraam.

8

WAAR ZIJN DIE PADVINDSTERS VERDOMME ALS JE ZE NODIG HEBT?

Hanna dook nog dieper weg in de dikke kussens van haar bank en probeerde de gulp van Seans Paper Denim-broek los te knopen. 'Ho, ho!' zei Sean. 'Niet...'

Hanna glimlachte geheimzinnig en legde een vinger op haar lippen. Ze begon Sean in zijn hals te zoenen. Hij rook naar Lever 2000-crème en vreemd genoeg ook naar chocola, en zijn pasgeschoren haar benadrukte prachtig de messcherpe trekken van zijn sexy gezicht. Ze was al gek op hem sinds de basisschool en hij was ieder jaar alleen maar knapper geworden.

Terwijl ze daar lagen te zoenen deed Hanna's moeder Ashley de voordeur van het slot en kwam de huiskamer binnen, druk pratend in haar piepkleine, opengeklapte LG-telefoontje.

Sean deinsde achteruit in de kussens. 'Dadelijk ziet ze het!' fluisterde hij, en hij stopte snel zijn lichtblauwe Lacoste-polo in zijn broek.

Hanna haalde haar schouders op. Haar moeder zwaaide uitdrukkingsloos naar hen en liep de kamer uit. Ze had over het algemeen meer aandacht voor haar BlackBerry dan voor Hanna. Vanwege haar drukke agenda hadden Hanna en zij niet veel contact met elkaar, afgezien van de periodieke huiswerkcontroles, briefjes met tips over de beste winkels tijdens de uitverkoop en zo nu en dan een geheugensteuntje dat ze haar kamer moest opruimen, voor het geval de hoge heren die op hun cocktailparty kwamen gebruik zouden maken van het toilet op de bovenverdieping. Maar meestal vond Hanna het wel best. Per slot van rekening bracht de baan van haar moeder geld in het laatje om al haar creditcardaankopen – ze haalde heus niet álles weg – en het dure schoolgeld van Rosewood Day te betalen.

'Ik moet gaan,' mompelde Sean.

'Je kunt beter zaterdag komen,' zei Hanna verleidelijk. 'Dan is mijn moeder de hele dag naar het beautycentrum.'

'Ik zie je vrijdag op het feest van Noel. En je weet dat ik dit al moeilijk genoeg vind.'

Hanna kreunde. 'Je maakt het jezélf moeilijk,' klaagde ze.

Hij bukte om haar te kussen. 'Tot morgen.'

Nadat Sean zichzelf had uitgelaten, begroef ze haar gezicht in de kussens van de bank. Dat Sean haar vriend was leek nog steeds een droom. Vroeger, toen ze dik en suf was geweest, had ze bewondering gehad voor zijn lange, atletische lijf, en hij was altijd heel aardig geweest voor de minder populaire leraren en kinderen. Bovendien kleedde hij zich ontzettend goed, niet als een kleurenblinde slons. Ze was hem altijd leuk blijven vinden, zelfs nadat ze de laatste hardnekkige kilo's kwijtgeraakt was en ze speciale producten tegen droog, pluizend haar had ontdekt. Dus had ze vorig schooljaar in de studiezaal een keer terloops tegen Jim Freed gefluisterd dat ze Sean leuk vond, en drie lesuren later zei Colleen Rink tegen Hanna dat Sean haar die avond na het voetballen zou bellen op haar mobieltje. Dat was weer zo'n moment waarvan Hanna baalde dat Ali het niet had kunnen meemaken.

Sean en zij hadden nu zeven maanden verkering en Hanna was verliefder dan ooit. Dat had ze nog niet tegen hem gezegd – het was jarenlang haar geheimpje geweest – maar nu was ze er vrij zeker van dat hij ook verliefd was op háár. En was seks niet de beste manier om je liefde te uiten?

Daarom sloeg dat gedoe met die maagdelijkheidsgelofte nergens op. Seans ouders waren niet overdreven religieus of zo, en het druiste in tegen het beeld dat Hanna van jongens had. Hoe ze er vroeger ook uitgezien had, ze moest het zichzelf nageven: met haar donkerbruine haar, weelderige rondingen en stralende huid – geen puistje te bekennen, nooit – zag ze er nu superlekker uit. Wie zou er nou niet verliefd op haar worden? Soms vroeg ze zich af of Sean homo was – hij had wel érg veel mooie kleren – of dat hij misschien last had van vaginavrees.

Hanna riep Dot, haar minipincher, bij zich op de bank. 'Heb je me vandaag gemist?' vroeg ze met een hoog stemmetje toen Dot aan haar hand likte. Hanna had een aanvraag ingediend om Dot mee naar school te mogen nemen in haar enorme Prada-tas, zoals álle meisjes in Beverly Hills deden, maar Rosewood Day had het verzoek afgewezen. Dus had Hanna, om verlatingsangst te voorkomen, voor Dot het schattigste Gucci-mandje gekocht dat ze kon vinden en liet ze de hele dag de televisie in haar slaapkamer aanstaan.

Haar moeder kwam de huiskamer weer in, nog steeds in haar nette tweedpakje en op bruine slingbacks met halfhoge hakjes.

'Er is sushi,' zei mevrouw Marin.

Hanna keek op. 'Tororolletjes?'

'Geen idee, ik heb van alles genomen.'

Hanna liep de keuken in en wierp een blik op de laptop en de zoemende LG van haar moeder.

'Wat nou weer?' snauwde haar moeder in de telefoon.

Dots pootjes tik-takten achter Hanna aan. Nadat ze een blik in de zak sushi had geworpen koos ze voor een stukje sashimi, één palingrolletje en een klein bakje misosoep.

'Ik heb de cliënt anders vanmorgen nog gesproken,' zei haar moeder. 'Toen was hij wél tevreden.'

Hanna doopte bevallig haar sashimi in een beetje soyasaus en bladerde luchtig in een catalogus van J. Crew. Haar moeder had de op één na hoogste positie bij reclamebureau McManus & Tate in Philadelphia, en ze streefde ernaar de eerste vrouwelijke directeur van het bedrijf te worden.

Behalve buitengewoon succesvol en ambitieus was mevrouw Marin wat de meeste jongens op Rosewood een NBM ofwel 'neukbare moeder' zouden noemen: ze had lang roodblond haar, een mooie huid en een onvoorstelbaar lenig lichaam, dankzij haar dagelijkse yogaritueel.

Hanna wist best dat haar moeder niet perfect was, maar toch begreep ze niet waarom haar ouders vier jaar geleden gescheiden waren, of waarom haar vader algauw daarna iets was begonnen met Isabel, een alledaagse, doorsneeverpleegster uit Annapolis in Maryland. Ver beneden zijn stand.

Isabel had een tienerdochter, Kate, met wie Hanna het volgens meneer Marin 'reúzegoed' zou kunnen vinden. Een paar maanden na de scheiding had hij Hanna uitgenodigd om een weekend naar Annapolis te komen. Zenuwachtig voor de ontmoeting met haar quasi-stiefzusje had Hanna Ali gesmeekt om mee te gaan. 'Maak je maar geen zorgen, Han,' had Ali haar verzekerd. 'Wij staan mijlenver boven die Kate.' Toen Hanna haar weinig overtuigd had aangekeken, had ze haar aan haar vaste motto herinnerd: 'Ik ben Ali en ik ben geweldig!' Nu klonk het nogal idioot, maar destijds had Hanna zich afgevraagd hoe het zou voelen om zo zelfverzekerd te zijn. Dat Ali meeging was een veilig gevoel geweest; het bewijs dat ze niet de loser was bij wie haar vader niet langer had willen blijven.

Toch was die dag rampzalig verlopen. Kate was het mooiste meisje dat Hanna ooit had ontmoet, en haar vader had haar min of meer een vet varken genoemd waar Kate bij was. Hij had snel teruggekrabbeld en gezegd dat het maar een grapje was, maar dat was de allerlaatste keer geweest dat ze hem had gezien… en de allereerste keer dat ze een vinger in haar keel had gestoken.

Maar Hanna dacht niet graag aan vroeger, en dat deed ze dan ook zelden. Bovendien kon ze nu lekker naar de vriendjes van haar moeder gluren, en niet op een 'wil jij mijn nieuwe vader worden?'-manier. En zou haar vader het goedvinden dat Hanna tot twee uur 's nachts op stap ging en wijn dronk, zoals ze van haar moeder wél mocht? Weinig kans.

Haar moeder klapte haar telefoontje dicht en richtte haar smaragdgroene ogen strak op Hanna. 'Heb je die schoenen naar school aangehad?'

Hanna stopte met kauwen. 'Ja.'

Mevrouw Marin knikte. 'Heb je veel complimenten gekregen?

Hanna hield haar enkel schuin om haar paarse plateauzolen te bekijken. Uit angst voor de beveiliging bij Saks had ze de schoenen keurig afgerekend. 'Ja. Inderdaad.'

'Mag ik ze een keer lenen?'

'Eh, ja, als je dat graag…'

Haar moeders telefoon ging weer. Ze dook eropaf. 'Carson? Ja, ik zoek je al de hele avond… wat is daar in godsnaam aan de hand?'

Hanna blies haar pony uit haar gezicht en voerde Dot een piepklein stukje palingsushi. Op het moment dat Dot het uitspuugde ging de bel.

Haar moeder vertrok geen spier. 'Ze willen het vanávond nog,' zei ze in de telefoon. 'Het is jouw project. Moet ik nu echt je handje komen vasthouden?'

De bel ging weer. Dot begon te blaffen en haar moeder stond op om open te gaan doen. 'Het zullen die padvindsters wel weer zijn.' De meisjes van de scouting waren al drie dagen op rij rond etenstijd aan de deur geweest om koekjes te verkopen. In deze wijk waren ze ontzettend fanatiek.

Binnen een paar tellen was Hanna's moeder terug in de keuken, gevolgd door een jonge politieagent met bruin haar en groene ogen. 'Deze meneer zegt dat hij jou wil spreken.' Op het gouden speldje op de borstzak van zijn uniform stond WILDEN.

'Mij?' Hanna wees naar zichzelf.

'Ben jij Hanna Marin?' vroeg Wilden. Er kwam geluid uit de walkietalkie die aan zijn riem hing.

Ineens wist Hanna wie hij was: Darren Wilden. Hij had in het laatste jaar van Rosewood gezeten toen zij in de brugklas zat. Van de Darren Wilden van toen werd gezegd dat hij het bed had gedeeld met alle meisjes van het duikteam, en hij was bijna van school getrapt omdat hij de klassieke Ducati-motor van de rector had gestolen. Maar deze agent was duidelijk dezelfde jongen – die groene ogen vergat ze zomaar niet, ook al had ze ze al vier jaar niet meer gezien. Hanna hoopte maar dat hij stripteasedanser was, voor de grap langsgestuurd door Mona.

'Wat heeft dit te betekenen?' vroeg mevrouw Marin, haar blik alweer op haar telefoon gericht. 'Waarom stoort u ons tijdens het eten?'

'We hebben een telefoontje gekregen van Tiffany,' zei Wilden. 'Je bent gefilmd bij het ontvreemden van enkele artikelen uit de winkel. Op de opnames van beveiligingscamera's elders in het winkelcentrum is te zien hoe je naar je auto loopt. We hebben het kenteken opgevraagd.'

Hanna begon met haar nagels aan de binnenkant van haar hand te pulken, iets wat ze altijd deed als ze de situatie niet meer onder controle had.

'Dat zou Hanna nooit doen,' blafte mevrouw Marin. 'Nee toch, Hanna?'

Hanna deed haar mond open om antwoord te geven, maar er

kwam niets uit. Haar hart bonsde tegen haar ribben.

'Luister.' Wilden sloeg zijn armen over elkaar. Hanna zag zijn pistool aan zijn riem hangen. Het was net speelgoed. 'Ik wil alleen dat u beiden even meekomt naar het bureau. Misschien is er niets aan de hand.'

'Natuurlijk is er niets aan de hand!' zei mevrouw Marin. Toen pakte ze haar Fendi-portefeuille uit de bijpassende handtas. 'Wat moet ik u betalen om ons met rust te laten, zodat we verder kunnen eten?'

'Mevrouw.' Wilden klonk vermoeid en geërgerd. 'Gaat u gewoon met me mee. Goed? Het duurt niet de hele avond, dat beloof ik.' Hij glimlachte, die sexy Darren Wilden-lach die er waarschijnlijk voor had gezorgd dat hij uiteindelijk niet van school was gestuurd.

'Goed,' zei Hanna's moeder. Wilden en zij keken elkaar een hele tijd aan. 'Ik pak mijn tas even.'

Wilden wendde zich tot Hanna. 'Ik moet je handboeien omdoen.'

'Wát? Handboeien?' Nou ja, dat was echt onzin! Het klonk als iets wat de tweeling van zes van de buren zou doen. Maar Wilden haalde echte, stalen handboeien tevoorschijn en deed die voorzichtig om haar polsen. Hanna hoopte dat hij niet zou merken dat haar handen trilden.

O, was dit maar het moment dat Wilden haar vastmaakte aan een stoel, dat oude seventiesnummer 'Hot Stuff' opzette en langzaam al zijn kleren uit begon te trekken. Helaas gebeurde dat niet.

Op het politiebureau rook het naar oude koffie en nog veel ouder hout, want zoals de meeste openbare gebouwen in Rosewood was het de voormalige woning van een spoorwegbaron. Binnen wemelde het van de agenten, die telefoneerden, formulieren invulden en heen en weer reden op hun bureaustoelen op zwenkwieltjes. Hanna verwachtte min of meer Mona tegen te komen, met de Dioromslagdoek van haar moeder over haar polsen gedrapeerd. Maar aan de lege bank te zien was Mona niet opgepakt.

Mevrouw Marin ging stijfjes naast haar zitten. Hanna kneep 'm behoorlijk; haar moeder was over het algemeen heel makkelijk, maar Hanna was nog nooit meegenomen naar het politiebureau of gearresteerd of wat dan ook.

Toen boog haar moeder zich naar haar toe en vroeg heel zachtjes: 'Wat heb je weggehaald?'

'Hmm?'

'De armband die je daar om hebt?'

Hanna keek naar haar pols. Heel slim, ze had vergeten hem af te doen! De armband bungelde vol in het zicht om haar pols. Ze schoof hem verder haar mouw in en voelde aan haar oren. Jawel hoor, de oorbellen had ze vandaag ook in. Stomkop!

'Geef hier,' fluisterde haar moeder.

'Huh?' piepte Hanna.

Mevrouw Marin stak haar hand uit. 'Geef hier. Ik los dit wel op.'

Aarzelend liet Hanna haar moeder het armbandje losmaken. Toen deed ze zelf haar oorbellen uit en gaf die ook aan haar moeder. Mevrouw Marin gaf geen krimp. Ze liet de sieraden eenvoudigweg in haar tas vallen en vouwde haar handen om de metalen clipsluiting.

Het blonde meisje van Tiffany dat Hanna had geholpen met het bedelarmbandje kwam de ruimte binnengelopen. Zodra ze Hanna zag zitten, terneergeslagen op het bankje met de handboeien nog om, knikte ze. 'Ja, zij was het.'

Darren Wilden wierp Hanna een boze blik toe, en haar moeder stond op. 'Ik geloof dat hier sprake is van een misverstand.' Ze liep naar Wildens bureau. 'Ik had u thuis niet goed begrepen. Ik was die dag bij Hanna, we hebben de spullen gekócht. Ik heb thuis het bonnetje.'

Het meisje van Tiffany kneep vol ongeloof haar ogen tot spleetjes. 'Wou u beweren dat ik hier sta te liegen?'

'Nee, hoor,' zei mevrouw Marin poeslief. 'Ik denk dat je je gewoon vergist.'

Waar was ze nou mee bezig? Hanna kreeg een wee, ongemakkelijk gevoel. Een schuldgevoel bijna.

'Hoe verklaart u de videobeelden van de beveiligingscamera dan?' vroeg Wilden.

Haar moeder zweeg. Hanna zag een spiertje in haar nek trekken. Toen, voordat Hanna haar kon tegenhouden, maakte ze haar tas open en haalde de buit eruit. 'Het is allemaal mijn schuld,' zei ze. 'Hanna kan er niks aan doen. We hebben ruzie gehad over deze sieraden. Van mij mocht ze ze niet kopen, dus ik heb haar hier eigen-

lijk toe aangezet. Ze zal het nooit meer doen, dat verzeker ik u.'
Hanna staarde haar moeder stomverbaasd aan. Ze had het nooit
met haar over Tiffany gehad, laat staan over de vraag of ze iets wel
of niet mocht kopen.
Wilden schudde zijn hoofd. 'Mevrouw, ik denk dat uw dochter
een taakstraf zal krijgen. Dat is gebruikelijk bij dit soort zaken.'
Mevrouw Marin knipperde onschuldig met haar ogen. 'Kunt u
dit niet door de vingers zien? Alstublieft?'
Wilden keek haar een hele tijd aan, en zijn mondhoek krulde op
een bijna duivelse manier omhoog. 'Gaat u zitten,' zei hij ten slotte. 'Ik zal kijken wat ik kan doen.'
Hanna keek alle kanten op behalve naar haar moeder. Wilden
boog zich over zijn bureau. Er stond een Chief Wiggum-poppetje
uit *The Simpsons* en een metalen Slinky. Wilden likte aan zijn wijsvinger om de bladzijden om te slaan van de papieren die hij aan het
invullen was. Hanna kromp ineen. Wat waren dat voor papieren?
Dit was niet goed. Helemaal niet goed.
Hanna wiebelde nerveus met haar voet. Ze had ineens ontzet-
tende behoefte aan pepermuntjes. Of misschien cashewnoten.
Zelfs met een van die kunstmatige worstjes die Wilden op zijn bureau had liggen zou ze nu al blij zijn.
Ze zag het al helemaal voor zich: iedereen zou het te weten komen, en in één klap zou ze geen vriendinnen en geen vriend meer
hebben. Vanaf dat moment zou ze een omgekeerde metamorfose
ondergaan, terug naar de slome Hanna uit de brugklas. Op een dag
zou ze wakker worden met dat stomme vaalbruine haar, haar tanden zouden weer scheef staan en ze zou weer een beugel moeten.
Haar spijkerbroeken zouden geen van alle meer passen. En dan
ging het verder vanzelf. De rest van haar leven zou ze dik, lelijk, on-
gelukkig en onzichtbaar zijn, net als vroeger.
'Ik heb hier wel een lotionnetje, als die dingen zeer doen aan je
polsen,' zei haar moeder met een gebaar naar de handboeien, en ze
begon al in haar tas te rommelen.
'Nee, dat hoeft niet,' antwoordde Hanna, meteen terug in het
heden. Zuchtend haalde ze haar BlackBerry tevoorschijn. Het
viel niet mee met de handboeien om, maar ze wilde Sean ervan
overtuigen dat hij zaterdag naar haar toe moest komen. Ze wilde
ineens héél graag dat hij ja zou zeggen. Terwijl ze naar het

schermpje staarde, verscheen er een mailtje in haar inbox. Ze opende het.

Ha die Hanna,
Van gevangenisvoer word je dik, dus wat denk je dat Sean dan zal zeggen? 'Echt niet!'
-A

Ze schrok zo dat ze van de bank opsprong. Misschien was er iemand in de wachtruimte die haar in de gaten hield. Maar er was niemand te zien. Ze deed haar ogen dicht en probeerde te bedenken wie de politieauto voor hun huis had kunnen zien staan.

Wilden keek op van zijn paperassen. 'Is er iets?'

'Eh…' zei Hanna. 'Nee.' Ze ging langzaam weer zitten. *Echt niet*? Hoe kon dat verdomme? Ze keek nog eens naar de afzender, maar dat was niet meer dan een rare reeks letters en cijfertjes.

'Hanna,' mompelde mevrouw Marin na een tijdje. 'Niemand hoeft hiervan te weten.'

Hanna knipperde met haar ogen. 'O. Nee. Vind ik ook.'

'Mooi zo.'

Hanna slikte. Maar… iemand wíst het al.

9

GEEN DOORSNEESTUDENT–
DOCENTBESPREKING

Het was woensdagmorgen. Byron, Aria's vader, haalde even zijn hand door zijn stugge zwarte haar en stak hem daarna uit het raampje van de Subaru om aan te geven dat hij linksaf wilde. De richtingaanwijzer had het gisteravond begeven, dus bracht hun vader Aria en Mike die tweede schooldag weg voordat hij de auto naar de garage zou brengen.

'Bevalt het jullie om terug te zijn in Amerika?' vroeg Byron.

Mike, die naast Aria achterin zat, zei met een grijns: 'Amerika is top,' en hij ging weer als een bezetene met de knopjes van zijn PSP in de weer. Toen er een scheetgeluid uit het apparaat kwam, stak Mike triomfantelijk zijn vuist in de lucht.

Aria's vader reed met een glimlach over de eenbaansweg op de stenen brug, en hij zwaaide in het voorbijgaan naar een buurman. 'Mooi zo. En waaróm precies is Amerika top?'

'Amerika is top omdat ze hier lacrosse hebben,' antwoordde Mike zonder zijn blik af te wenden van zijn PSP. 'En lekkerdere meiden. En een filiaal van Hooters, in King of Prussia.'

Aria moest lachen. Alsof Mike ooit bij Hooters was geweest, waar de serveersters halfnaakt rondliepen. Of... o god, het zou toch niet waar zijn?

Ze huiverde in haar donkergroene sjaal van alpacawol en staarde door het raam naar de dikke mist. Een vrouw in een lang sportvest met capuchon en de opdruk VOETBALMOEDER MIDVOOR probeerde haar Duitse herder in toom te houden, die achter een eekhoorn aan zat. Op de hoek stonden twee blondines met super-de-luxe kinderwagens te roddelen.

De Engelse les van gisteren was in één woord wreed geweest. Nadat Ezra er *'holy shit'* had uitgeflapt, had de hele klas zich omgedraaid om Aria aan te staren. Hanna Marin, die voor haar zat, had niet al te zachtjes gefluisterd: 'Ben je met de meester naar bed geweest?' Heel even had Aria de mogelijkheid overwogen dat het sms'je over Ezra afkomstig was van Hanna; per slot van rekening was zij een van de weinigen die van Pigtunia wisten. Maar wat zou het Hanna nou kunnen schelen?

Ezra – eh, meneer Fitz – had het gelach snel de kop in gedrukt en had een ontzettend slap smoesje opgehangen om zijn gevloek in de klas te verklaren. Hij zei, en Aria citeerde hem in gedachten: 'Ik dacht dat er een wesp mijn broek in was gevlogen en ik was bang dat die me zou steken, vandaar mijn verschrikte uitroep.'

Toen Ezra was begonnen over opstellen met vijf hoofdstukken en de syllabus voor dat semester, had Aria zich niet kunnen concentreren. Zíj was de wesp die zijn broek in was gevlogen. Ze moest de hele tijd denken aan zijn wolvenogen en zijn volle rode mond. Toen hij vanuit zijn ooghoek haar kant op gluurde, deed haar hart tweeënhalve salto van de hoge duikplank en landde in haar maag.

Ezra was de ware voor haar en zij was de ware voor hem – dat wíst ze gewoon. Inderdaad, hij was haar leraar; nou en? Er moest een manier zijn om er samen iets van te maken.

Haar vader stopte voor de stenen toegangspoort van Rosewood. In de verte zag Aria een oude lichtblauwe VW-kever op de docentenparkeerplaats staan. Ze kende de auto nog van Snookers; hij was van Ezra. Ze keek op haar horloge: over een kwartier begon haar les.

Mike sprintte de auto al uit. Aria deed ook haar portier open, maar haar vader legde zijn hand op haar arm. 'Wacht even.'

'Maar ik moet…' Ze keek verlangend naar Ezra's kever.

'Heel even maar.' Haar vader zette de radio zachter. Aria liet zich terug op de achterbank zakken. 'Ik heb het gevoel dat je een beetje…' Hij draaide onzeker zijn pols heen en weer. 'Gaat het wel goed met je?'

Aria haalde haar schouders op. 'Hoezo?'

Haar vader zuchtte. 'Ik... ik weet het niet. Sinds we terug zijn. En we hebben het al een tijdje niet over... je weet wel... gehad.' Aria frunnikte aan de rits van haar jack. 'Wat valt erover te zeggen?' Byron stak het shagje in zijn mond dat hij voor hun vertrek had gedraaid. 'Het is vast verschrikkelijk moeilijk voor je geweest om je mond te houden. Maar ik hou van je. Dat weet je toch, hè?' Aria keek weer naar het parkeerterrein. 'Ja, dat weet ik,' zei ze. 'Ik moet gaan. Ik zie je om drie uur.'

Voordat hij iets terug kon zeggen stoof Aria de auto uit, en het bloed steeg naar haar hoofd. Hoe kon ze nou IJsland-Aria zijn, die haar verleden achter zich had gelaten, wanneer een van haar ergste herinneringen aan Rosewood steeds weer omhoog kwam borrelen?

Het was in mei gebeurd, in de brugklas. De leerlingen van Rosewood Day waren die dag eerder naar huis gestuurd vanwege de docentenvergadering, dus waren Aria en Ali naar Sparrow gegaan, de muziekwinkel op de campus, om nieuwe cd's te kopen. Toen ze de kortste weg namen door een verlaten steegje had Aria de overbekende, gehavende bruine Honda Civic van haar vader in de verste uithoek van het verlaten parkeerterrein zien staan. Aria en Ali waren erheen gelopen om een briefje achter te laten, maar opeens zagen ze dat er iemand in de auto zat. Of eigenlijk twee iemanden: Aria's vader Byron en een meisje van een jaar of twintig, dat hem in zijn hals zoende.

Op dat moment keek Byron op en zag hij Aria. Ze sprintte weg voordat ze nog meer moest zien, en voordat hij haar kon tegenhouden. Ali was Aria helemaal tot aan haar huis achternagerend, maar toen Aria zei dat ze alleen wilde zijn, had Ali niet geprobeerd haar om te praten.

Later die avond was Byron naar Aria's kamer gekomen om het haar uit te leggen. Het lag heel anders dan het eruitgezien had, zei hij. Maar Aria was niet achterlijk. Haar vader nodigde ieder jaar zijn studenten bij hen thuis uit voor een kennismakingsborrel, en Aria had dat meisje in haar bloedeigen huis gezien. Ze heette Meredith, herinnerde Aria zich, want Meredith was aangeschoten geworden en had toen haar naam in plastic magneetlettertjes op de koelkast geplakt. En toen ze vertrok had ze haar vader niet, zoals de andere studenten, gewoon een hand gegeven, maar een lange, trage zoen op zijn wang.

Byron had Aria gesmeekt het niet aan haar moeder te vertellen. Hij beloofde dat het nooit meer zou gebeuren. Ze besloot hem te geloven, dus had ze zijn geheim bewaard. Hij had het nooit met zoveel woorden gezegd, maar Aria vermoedde dat Meredith de reden was geweest dat haar vader destijds een jaar verlof had genomen om naar IJsland te gaan.

Je had jezelf beloofd er niet meer aan te denken, dacht Aria nu, met een blik over haar schouder. Haar vader gaf met zijn hand richting aan om het parkeerterrein af te rijden.

Aria liep de smalle gang van het faculteitsgebouw in. Ezra's kamer was aan het einde van die gang, naast een knus zitje bij het raam. In de deuropening bleef ze staan kijken hoe hij zat te typen op zijn computer.

Na een tijdje klopte ze. Ezra's blauwe ogen werden groot toen hij haar zag. Hij zag eruit om op te vreten in zijn witte buttondownoverhemd, blauwe Rosewood-blazer, groene ribbroek en afgetrapte zwarte instappers. Zijn mondhoeken krulden om in een piepklein, schuchter glimlachje.

'Hoi,' zei hij.

Aria bleef in de deuropening staan. 'Kan ik je even spreken?' vroeg ze; ze had ineens een raar piepstemmetje.

Ezra aarzelde en streek een lok haar uit zijn ogen. Aria zag dat er een Snoopy-pleister om zijn linkerpink zat. 'Natuurlijk,' zei hij zacht. 'Kom binnen.'

Ze liep zijn kamer in en deed de deur dicht. De kamer was leeg op een groot, zwaar houten bureau, twee klapstoelen en een computer na. Ze ging op de vrije klapstoel zitten.

'Eh...' zei Aria. 'Hallo.'

'Ja, ook hallo,' antwoordde Ezra grijnzend. Hij sloeg zijn ogen neer en nam een slok koffie uit een beker met het wapen van Rosewood Day erop. 'Luister even...' begon hij.

'Over gisteren...' zei Aria op hetzelfde moment. Ze begonnen allebei te lachen.

'Dames gaan voor.'

Aria krabde in haar nek, op de plek waar haar steile zwarte haar in een paardenstaart was gebonden. 'Ik eh... wilde het even hebben over... ons.'

Ezra knikte, maar hij zei niets.

Aria wiebelde heen en weer in haar stoel. 'Het is vast nogal een schok dat ik eh… je leerling ben, na… je weet wel, bij Snookers… Maar als jij er niet mee zit, zit ik er ook niet mee.'

Ezra vouwde zijn hand om de beker. Aria luisterde hoe de standaard schoolklok de seconden wegtikte. 'Ik… Dat lijkt me geen goed idee,' zei hij zachtjes. 'Je zei dat je ouder was.'

Aria lachte; ze wist niet hoe serieus hij was. 'Ik heb mijn leeftijd helemaal niet genoemd.' Ze sloeg haar ogen neer. 'Je nam gewoon áán dat ik ouder was.'

'Ja, maar jij had die indruk niet mogen wekken.'

'Iedereen liegt over zijn leeftijd,' zei Aria zacht.

Ezra haalde zijn hand door zijn haar. 'Maar… jij bent…' Hij keek haar aan en zuchtte. 'Moet je horen, ik… ik vind je heel leuk, Aria. Echt waar. Ik kwam je tegen in die bar en ik dacht… Ik dacht: wauw, wie ís dit? Ze is totaal anders dan alle vrouwen die ik ken.'

Aria keek naar de grond, blij maar ook een beetje nerveus.

Ezra legde over het bureau heen zijn hand – warm, droog en geruststellend – op de hare, maar trok hem toen snel weer terug. 'Maar dit kan zo niet, snap je? Want jij bent een leerling van me. Ik kan er problemen mee krijgen. Dat zou je toch niet willen?'

'Niemand hoeft het te weten,' protesteerde Aria zwakjes, ook al dacht ze onwillekeurig weer aan dat bizarre sms'je van gisteren; misschien wíst iemand het al.

Het duurde lang voordat Ezra antwoord gaf. Aria kreeg de indruk dat hij een besluit probeerde te nemen. Ze keek hem hoopvol aan.

'Het spijt me, Aria,' mompelde hij na een hele tijd. 'Maar ik denk dat je beter kunt gaan.'

Aria stond op. Ze voelde haar wangen gloeien. 'Natuurlijk.' Ze legde haar handen om de bovenkant van de stoel. Het voelde alsof er hete kolen in haar binnenste rondtolden.

'Dan zie ik je in de klas wel,' fluisterde ze.

Ze deed behoedzaam de deur dicht. Op de gang dromden de docenten om haar heen, op weg naar hun lokalen. Ze besloot om buitenom te lopen naar haar kluisje – ze had behoefte aan frisse lucht.

Buiten hoorde Aria een bekende lach. Even verstarde ze. Hoe lang zou dat nog duren, dat ze *overal* dacht dat ze Alison hoorde?

Ze nam niet het kronkelige stenen pad over het grasveld, zoals het hoorde, maar liep over het gazon zelf. De ochtendnevel was zo dik dat ze haar eigen benen amper kon zien. Haar voetafdrukken in het zompige gras verdwenen net zo snel als ze verschenen.

Mooi. Dit leek haar een gepast moment om volledig te verdwijnen.

10

ALS SINGLE HEB JE HET LEUKER

Die middag stond Emily in gedachten verzonken op het studen-tenparkeerterrein toen iemand van achteren zijn handen voor haar ogen sloeg. Ze maakte een sprongetje van schrik.

'Ho, rustig! Ik ben het maar.'

Emily draaide zich om en zuchtte opgelucht. Het was Maya. Sinds dat bizarre briefje van gisteren was ze afwezig en paranoïde. Ze had net haar auto open willen maken – Carolyn en zij mochten van hun moeder met haar auto naar school, op voorwaarde dat ze voorzichtig reden en ze haar belden zodra ze veilig aangekomen waren – om haar zwemspullen te pakken voor de training.

'Sorry,' zei Emily. 'Ik dacht... laat maar.'

'Ik heb je vandaag gemist,' zei Maya lachend.

'Ik jou ook.' Emily lachte terug. Ze had Maya die ochtend gebeld om haar een lift naar school aan te bieden, maar Maya's moeder had gezegd dat ze al weg was. 'Hoe is het met je?'

'Nou, het kon beter.' Maya droeg vandaag haar wilde donkere haar uit haar gezicht, vastgezet met schattige roze vlinderspeldjes met glittertjes.

'O?' Emily hield vragend haar hoofd schuin.

Maya perste haar lippen op elkaar en liet een voet uit haar Oak-ley-slipper glijden. Haar tweede teen was langer dan haar grote teen, net als bij Emily. 'Het zou een stuk beter gaan als je met me meeging. Nu meteen.'

'Maar ik moet zwemmen,' zei Emily, en ze hoorde Ieoor weer in haar stem.

Maya pakte haar hand en zwaaide ermee. 'En als ik je nou eens vertel dat we ergens naartoe gaan waar je ook kunt zwemmen?' Emily kneep haar ogen tot spleetjes. 'Hoe bedoel je?'

'Vertrouw me nou maar.'

Ook al had ze heel goed kunnen opschieten met Hanna, Spencer en Aria, de beste herinneringen had Emily aan de momenten dat ze alleen was geweest met Ali. Zoals die keer toen ze met dikke skibroeken aan op Bayberry Hill waren gaan sleeën; hun gesprekken over de ideale jongen, of toen ze samen hadden gehuild om Het Voorval Met Jenna in groep acht en ze elkaar hadden getroost. Wanneer ze met z'n tweeën waren geweest, had Emily een iets minder volmaakte Ali te zien gekregen – waardoor Ali op de een of andere manier juist extra volmaakt leek – en had ze het gevoel gehad dat ze zichzelf kon zijn. Het leek wel of er dagen, weken, járen voorbijgegaan waren waarin Emily zichzelf niet was geweest. En ze dacht dat ze nu iets soortgelijks zou kunnen hebben met Maya. Ze miste het, een beste vriendin hebben.

Op dit moment waren Ben en de andere jongens zich waarschijnlijk aan het omkleden en mepten ze elkaar met natte handdoeken op de blote billen. Trainster Lauren schreef de oefensets op het grote bord en deelde zwemvliezen, drijfplankjes en peddels uit. En de meisjes in het team klaagden vast omdat ze weer allemaal tegelijk ongesteld waren. Zou Emily dat durven, de tweede trainingsdag overslaan?

Ze kneep in haar sleutelhanger in de vorm van een plastic visje. 'Ik zou tegen Carolyn kunnen zeggen dat ik iemand bijles Spaans moet geven,' mompelde ze. Emily wist dat Carolyn daar niet in zou trappen, maar waarschijnlijk zou ze haar niet verraden.

Ze keek drie keer om zich heen of niemand haar zag en deed toen glimlachend de auto open.

'Oké, we gaan.'

'Mijn broer en ik hebben dit plekje afgelopen weekend ontdekt,' zei Maya toen Emily het grind van de parkeerplaats opreed.

Emily stapte uit en strekte haar benen. 'Ik was het helemaal vergeten.' Ze waren bij het Marwyn-pad, een wandelroute van acht kilometer langs een diepe rivier. Vroeger ging ze hier heel vaak fietsen met haar vriendinnen – op het laatste stuk hadden Ali en Spencer altijd een wedstrijdje gehouden, en meestal waren ze gelijk geeindigd – en na afloop gingen ze altijd naar het stalletje om chocola en cola light te kopen.

Toen ze achter Maya aan een modderige helling af liep, pakte Maya ineens haar arm. 'O, dat heb ik je nog niet verteld! Mijn moeder vertelde me dat jouw moeder gisteren bij haar langs is geweest, toen wij op school zaten. Ze kwam brownies brengen.'

'O?' zei Emily verbaasd; ze vroeg zich af waarom haar moeder daar onder het eten niets over had gezegd.

'Ze waren verrúkkelijk. Mijn broer en ik hebben ze gisteren tot de laatste kruimel opgegeten.'

Ze kwamen bij het zandpad, dat werd overkoepeld door een bladerdak van de eikenbomen. Het rook er fris, naar bossen, en het leek er wel tien graden koeler.

'We zijn er nog niet.' Maya pakte haar hand en ging haar voor over het smalle pad naar een stenen bruggetje. Een meter of vijf daaronder werd de rivier breder. Het kalme water glinsterde in de late middagzon.

Maya liep meteen naar de rand van de brug en kleedde zich uit tot op haar roze beha met bijpassend slipje. Ze gooide haar kleren op een hoop, stak haar tong uit naar Emily en sprong in het water.

'Wacht!' Emily rende naar de rand van de brug. Wist Maya wel hoe diep het hier was? Een volle twee seconden later ('ééntwintig, tweeëntwintig') hoorde ze pas een plons.

Maya's hoofd dook op uit het water. 'Ik zei toch dat we ergens naartoe gingen waar je ook kon zwemmen! Kom op, kleed je uit!'

Emily keek naar Maya's hoopje kleren. Ze vond het verschrikkelijk om zich uit te kleden in het bijzijn van anderen – zelfs de meiden van het zwemteam, die haar iedere dag zagen. Langzaam trok ze haar geruite Rosewood Day-rok uit, met gekruiste benen zodat Maya haar blote, gespierde dijen niet zou zien, en toen gaf ze een ruk aan het hemdje dat ze onder haar uniformblouse droeg. Ze besloot het aan te houden. Eén blik over de rand van het bruggetje, en toen zette ze zich schrap en sprong. Even later omhulde het water haar. Het was lekker warm en dik van de modder, niet koud en schoon zoals het zwembad. De ingebouwde beugelbeha in haar hemdje bolde op door het water.

'Het is net een sauna,' zei Maya.

'Ja.' Emily peddelde naar het ondiepere gedeelte waar Maya stond. Emily kon Maya's tepels zien, dwars door haar beha heen, en ze wendde haar blik af.

'In Californië doken Justin en ik altijd van de rotsen,' zei Maya. 'Dan stond hij daarboven wel tien minuten na te denken of hij zou springen. Ik vind het leuk dat jij niet eens aarzelde.'

Emily liet zich op haar rug drijven en glimlachte. Ze kon er niets aan doen: ze schrokte Maya's complimentjes op alsof het grote stukken taart waren.

Maya vormde een kommetje met haar handen en spetterde Emily nat. Ze kreeg water in haar mond. Het rivierwater was drabbig en had een metaalsmaak; heel anders dan het chloorwater in het zwembad. 'Ik denk dat het binnenkort uitgaat tussen Justin en mij,' zei Maya.

Emily zwom wat dichter naar de kant en ging staan. 'Echt? Waarom?'

'Ja, echt. De afstand wordt te lastig. Hij belt me cónstant. Ik ben pas twee dagen weg en hij heeft me al twee brieven gestuurd!'

'Pfff,' antwoordde Emily, en ze zeefde met haar vingers het modderige water. Toen bedacht ze iets. Ze vroeg aan Maya: 'Heb jij, eh... gisteren een briefje in mijn kastje bij het zwembad gedaan?'

Maya fronste haar voorhoofd. 'Hoezo? Na school? Nee... jij bent met me mee naar huis gelopen, weet je nog?'

'O ja.' Ze had ook niet echt gedacht dat het briefje afkomstig was van Maya, maar het zou alles wel een stuk gemakkelijker hebben gemaakt.

'Wat stond erin?'

Emily schudde haar hoofd. 'Laat maar. Niks eigenlijk.' Ze schraapte haar keel. 'Misschien ga ik het ook wel uitmaken met mijn vriend.'

Hoooo! Emily zou niet verbaasder zijn geweest wanneer er een nachtegaal uit haar mond was komen vliegen.

'Echt?' vroeg Maya.

Emily knipperde het water uit haar ogen. 'Ik weet niet. Misschien wel.'

Maya strekte haar armen boven haar hoofd, en Emily zag weer dat litteken op haar pols. Ze keek weg.

'Ach, ga een eland neuken,' zei Maya.

Emily zei lachend: 'Hè?'

'Dat is een uitdrukking van me. Het betekent zoiets als "bekijk het allemaal maar".' Ze haalde haar schouders op. 'Ja, stom eigenlijk.'

'Nee, ik vind het leuk. "Een eland neuken."' Ze giechelde. Ze kreeg altijd een raar gevoel als ze schuttingwoorden gebruikte – alsof haar moeder haar vijftien kilometer verderop in de keuken kon horen.

'Maar inderdaad, je moet het écht wel uitmaken met je vriend,' zei Maya. 'Weet je waarom?'

'Nee?'

'Omdat we dan allebei vrij zijn.'

'En wat zou dat betekenen?' vroeg Emily. Het bos was stil en roerloos.

Maya kwam dichterbij. 'Dat betekent... dat we... samen lol kunnen maken!' Ze pakte Emily bij haar schouders en duwde haar onder water.

'Hé!' gilde Emily. Ze spetterde Maya nat en maaide met gestrekte arm door het water om een grote golf te veroorzaken. Toen pakte ze Maya's been en begon haar onder haar voet te kietelen.

'Help!' riep Maya. 'Niet mijn voetzool! Ik kan niet tegen kietelen!'

'Ik heb je zwakke plek ontdekt!' kraaide Emily, en ze sleurde Maya wild mee naar de waterval. Maya wist haar voet los te wrikken en mepte Emily van achteren op haar schouders. Haar handen zakten naar Emily's zij en gleden door naar haar buik, waar ze haar kietelde. Emily gilde het uit. Na een tijdje duwde ze Maya een kleine grot in de rotsen in.

'Ik hoop niet dat er vleermuizen zitten,' zei Maya. Er vielen zonnestralen door de piepkleine openingen van de grot, waardoor er een soort stralenkrans om Maya's drijfnatte hoofd verscheen.

'Je moet even komen.' Maya stak haar hand naar haar uit.

Emily kwam naast haar staan en voelde aan de gladde, koele wanden van de grot. Het geluid van haar ademhaling weerkaatste tegen de wanden. Ze keken elkaar aan en begonnen te grijnzen.

Emily beet op haar lip. Dit was het volmaakte vriendinnenmoment; ze werd er melancholiek en nostalgisch van.

Maya keek haar bezorgd aan. 'Wat is er?'

Emily haalde diep adem. 'Weet je nog, het meisje dat in jullie huis heeft gewoond? Alison?'

'Ja?'

'Ze wordt vermist. Na de brugklas is ze verdwenen. Ze is nooit gevonden.'

Maya huiverde licht. 'Zoiets had ik al gehoord.'

Emily sloeg haar armen om zich heen. Ze kreeg het koud. 'Ik kon heel goed met haar opschieten.'

Maya kwam dichter bij Emily staan en sloeg een arm om haar schouder. 'Dat wist ik niet.'

Emily's kin trilde. 'Ik vond dat je het moest weten.'

'Dat is fijn.'

Er verstreek een minuut of wat. Emily en Maya stonden nog steeds met hun armen om elkaar heen. Toen deed Maya een stapje achteruit. 'Ik heb daarstraks eigenlijk gelogen. Over de reden waarom ik het wil uitmaken met Justin.'

Emily trok nieuwsgierig een wenkbrauw op.

'Ik eh… ik weet niet of ik wel op jongens val,' zei Maya zachtjes. 'Heel gek, ik vind ze wel knap en zo, maar als ik met ze alleen ben, wil ik dat niet. Ik heb liever iemand… die meer op mezelf lijkt.' Ze lachte schor. 'Snap je?'

Emily wreef over haar gezicht en haar. Ineens was Maya's starende blik veel te dichtbij. 'Ik…' begon ze. Nee, ze snapte het níét.

De struiken boven hen bewogen. Emily schrok ervan. Haar moeder had er altijd een hekel aan gehad als ze naar dit pad ging – je kon immers nooit weten wat voor ontvoerders of moordenaars zich op dit soort plekken schuilhielden. Even was het stil in het bos, maar toen vloog er met veel lawaai een zwerm vogels op. Emily drukte zich plat tegen de rotswand. Hield iemand hen in de gaten? Wie lachte daar? Die lach klonk bekend. Toen hoorde ze een zware ademhaling. Ze kreeg kippenvel op haar armen, en ze gluurde de grot uit.

Het was gewoon een groepje jongens. Ze sprongen onverwacht in het water, met stokken die ze als zwaarden voor zich uit hielden. Emily liep achteruit bij Maya vandaan, weg van de waterval.

'Wat ga je doen?' riep Maya.

Emily keek eerst naar Maya en toen naar de jongens, die hun

stokken hadden weggegooid en elkaar nu met steentjes bekogelden. Een van hen was Mike Montgomery, het broertje van haar vroegere vriendin Aria. Hij was behoorlijk gegroeid sinds de laatste keer dat ze hem had gezien. En wacht eens... Mike zat op Rosewood. Zou hij haar herkennen? Emily liep het water uit en begon de helling op te klauteren.

Ze draaide zich om naar Maya. 'Ik moet terug naar school voordat Carolyn klaar is met de zwemtraining.' Ze trok haar rok aan.

'Zal ik je kleren gooien?'

'Mij best.' Met die woorden kwam Maya achter de waterval vandaan en waadde door het water. Haar doorschijnende onderbroek plakte aan haar billen. Ze klom langzaam de helling op zonder één keer haar buik of borsten met haar handen te bedekken. De jongens hielden op met stoeien en staarden naar haar.

En of Emily het wilde of niet, ze staarde ook naar Maya.

11

ZOETE AARDAPPELEN BEVATTEN TENMINSTE NOG VEEL VITAMINE A

'Zij ook. Zeker weten,' fluisterde Hanna, en ze wees naar een meisje.

'Nee, die zijn te klein,' fluisterde Mona terug.

'Maar kijk dan hoe bol ze aan de bovenkant staan. Hartstikke nep.'

'Volgens mij heeft die vrouw daar haar billen laten doen.'

'Gatver.' Hanna trok haar neus op en ging met haar handen over haar eigen strakke, prachtig ronde achterste om zich ervan te verzekeren dat het nog helemaal volmaakt was. Het was woensdag laat in de middag, nog maar twee dagen voor het jaarlijkse feest van Noel Kahn, en ze zat met Mona op het terras van Yam, het biologische restaurant van de countryclub waarvan Mona's ouders lid waren. Beneden liep een stel jongens van Rosewood nog een snel rondje golf voor het avondeten, maar Hanna en Mona deden een ander spelletje: 'Wie heeft er nepborsten?' Of iets anders wat nep was, want daar had je hier genoeg van.

'Ja hoor, zo te zien heeft de plastisch chirurg er bij haar een zootje van gemaakt,' mompelde Mona. 'Ik geloof dat mijn moeder met haar tennist. Ik zal het eens vragen.'

Hanna keek nog een keer naar het popperige vrouwtje van in de dertig wier billen er verdacht weelderig uitzagen in vergelijking met de rest van haar graatmagere lijfje. 'Ik zou nog liever doodgaan dan dat ik onder het mes ging.'

Mona speelde met een bedeltje aan haar Tiffany-armband –

die zíj blijkbaar niet had hoeven teruggeven. 'Denk je dat Aria Montgomery haar borsten heeft laten vergroten?'

Hanna keek verbaasd op. 'Hoezo?'

'Ze is verder hartstikke dun, en ze zijn te... perfect,' zei Mona. 'Ze heeft toch in Finland of zoiets gewoond? Ik heb gehoord dat je in Europa heel goedkoop je borsten kunt laten doen.'

'Ik denk niet dat ze nep zijn,' mompelde Hanna.

'Hoe weet jíj dat nou?'

Hanna beet op haar rietje. De borsten van Aria waren er altijd al geweest – Alison en zij waren in de brugklas de enigen geweest die een beha nodig hadden. Ali had er altijd mee lopen pronken, maar de enige keer dat Aria zelfs maar leek te beseffen dat ze borsten hád, was toen ze als kerstcadeautje voor iedereen een beha had gebreid en ze voor zichzelf een grotere maat moest maken. 'Ze lijkt me er gewoon niet het type voor,' antwoordde Hanna. Het was erg vreemd om met Mona over haar oude vriendinnen te praten. Hanna voelde zich nog steeds rot over de manier waarop ze Mona samen met Ali en de anderen had gepest in de brugklas, maar ze vond het altijd té raar om erover te beginnen.

Mona staarde haar aan. 'Is er iets? Ik zie iets aan je vandaag.'

Hanna kromp ineen. 'Aan mij? Hoezo?'

Mona lachte sarcastisch. 'Je hoeft niet zo te schrikken.'

'Ik schrik niet,' zei Hanna snel. Maar ze was wel degelijk geschrokken. Sinds het politiebureau en dat mailtje van gisteren was ze hartstikke nerveus. Vanmorgen hadden haar ogen eerder dofbruin dan groen geleken, en haar armen waren ineens verontrustend mollig. Ze had het afschuwelijke gevoel dat ze écht spontaan terugveranderde in haar eigen brugklasuitvoering.

Een blonde serveerster, lang en slank als een giraf, onderbrak hen. 'Weten jullie het al?'

Mona keek naar de menukaart. 'Doe mij maar de Aziatische kipsalade. Zonder dressing.'

Hanna schraapte haar keel. 'Voor mij een groene salade met alfalfa, geen dressing, en een dubbele portie gefrituurde zoete aardappeltjes. In een meeneemdoos, alstublieft.'

Terwijl de serveerster de bestelling opschreef, schoof Mona haar zonnebril omhoog op haar neus. 'Gefrituurde zoete aardappeltjes?'

'Voor mijn moeder,' antwoordde Hanna snel. 'Die lééft op zoete aardappels.'

Op de golfbaan was een groepje oudere jongens aan het afslaan, samen met één jongere, knappe jongen in een korte legerbroek. Hij zag er een beetje verdwaald uit met zijn warrige bruine haar en… was dat een poloshirt van… de politie van Rosewood? O, nee! Dat was het inderdaad.

Wilden speurde het terras af en knikte koel toen hij Hanna zag. Ze dook weg.

'Wie is dát?' vroeg Mona.

'Eh…' mompelde Hanna, half onder de tafel. Speelde Darren Wilden gólf? Nou ja! Vroeger op school was hij zo'n type geweest dat brandende lucifers naar de jongens uit het golfteam van Rosewood gooide. Ze had alleen maar pech de laatste tijd!

Mona kneep haar ogen tot spleetjes. 'Wacht eens, heeft hij niet bij ons op school gezeten?' Ze grijnsde. 'O, kijk dan! Het is die jongen die het hele duikteam heeft gehad. Hanna, kreng dat je daar bent! Waar kent hij jou van?'

'Hij is…' Hanna liet haar hand langs de tailleband van haar spijkerbroek glijden. 'Ik ben hem een paar dagen geleden tegengekomen toen ik aan het joggen was op het Marwyn-pad. We stopten tegelijk bij het kraantje om te drinken.'

'Lekker ding,' zei Mona. 'Werkt hij hier?'

Hanna zweeg even. Ze had hier helemaal geen zin in. 'Eh… ik geloof dat hij zei dat hij bij de politie zit,' zei ze nonchalant.

'Dat méén je niet!' Mona pakte haar vochtinbrengende lippencrème van Shu Uemura uit haar blauwe leren handtas en smeerde lichtjes haar onderlip in. 'Hij ziet er smakelijk genoeg uit om op een politiekalender te komen. Ik zie het al voor me: Mister April. Zullen we gaan vragen of we zijn wapenstok mogen zien?'

'Ssst,' siste Hanna.

De salades werden gebracht. Hanna schoof de piepschuimen doos met gefrituurde aardappeltjes opzij en nam een hapje van een kerstomaatje zonder dressing.

Mona boog zich naar haar toe. 'Ik durf te wedden dat je hem zo zou kunnen versieren.'

'Wie?'

'Mister April! Wie anders?'

Hanna snoof minachtend. 'Echt niet.'

'Echt wel. Neem hem mee naar het feest bij Kahn. Ik heb gehoord dat er vorig jaar ook een paar politieagenten zijn geweest. Daarom wordt er nooit iemand gearresteerd.'

Hanna leunde achterover in haar stoel. Het feest bij Kahn was een legendarische Rosewood-traditie. De familie Kahn woonde op een lap grond van ruim acht hectare en hun zoons – Noel was de jongste – gaven ieder jaar een feest als de school weer begon. Dan plunderden ze de buitengewoon ruime drankvoorraad van hun ouders in de kelder, en er was altijd wel een schandaal. Vorig jaar had Noel zijn beste vriend James met een luchtbuks in zijn blote kont geschoten omdat James had geprobeerd Noels toenmalige vriendin Alyssa Pennypacker te versieren. Ze waren allebei zo dronken geweest dat ze de hele weg naar de spoedeisende hulp hadden gelachen en niet meer hadden geweten hoe of waarom het was gebeurd. Het jaar daarvoor had een stelletje hasjfiguren te veel gerookt en geprobeerd de appelschimmels van meneer Kahn een trekje te laten nemen van hun hasjpijp.

'Neuh.' Hanna beet in de volgende tomaat. 'Ik denk dat ik met Sean ga.'

Mona trok een gezicht. 'Waarom zou je zo'n superfeest verspillen aan Sean? Hij heeft een maagdelijkheidsgelofte getekend! Waarschijnlijk gaat hij niet eens.'

'Dat je een maagdelijkheidsgelofte tekent, wil nog niet zeggen dat je niet meer kunt feesten, hoor.' Hanna nam een grote hap van haar salade; de droge, smakeloze blaadjes knarsten in haar mond.

'Als jij Mister April niet vraagt voor het feest, doe ik het.' Mona stond op.

Hanna pakte haar bij haar arm. 'Nee!'

'Waarom niet? Kom op nou, dat is toch lachen?'

Hanna drukte haar nagels diep in Mona's arm. 'Nee, zei ik.'

Mona ging weer zitten en stak pruilend haar onderlip naar voren. 'Maar waarom dan niet?'

Hanna's hart ging als een razende tekeer. 'Oké dan. Maar je mag het aan níémand vertellen.' Ze haalde diep adem. 'Ik heb hem laatst op het politiebureau gezien, niet tijdens het joggen. Ik moest naar het bureau in verband met dat gedoe laatst bij Tiffany. Maar het stelt niks voor, ik ben niet gearresteerd of zo.'

'Het is niet wáár!' riep Mona keihard uit. Wilden keek weer hun kant op.

'Sssst!'

'Was het erg? Wat is er gebeurd? Ik wil alles weten,' fluisterde Mona.

'Er valt niet veel over te vertellen.' Hanna gooide haar servet over haar bord. 'Ik moest mee naar het bureau, mijn moeder ook, en daar hebben we een tijdje gezeten. Ik ben er met een waarschuwing vanaf gekomen. Ach, ja. Het heeft in totaal maar twintig minuten geduurd.'

'Jakkes.' Hanna kon Mona's blik niet plaatsen; even vroeg ze zich af of het soms medelijden was wat ze zag.

'Het was niet dramatisch of zo,' zei ze verdedigend; ze had een droge keel. 'Er is eigenlijk niks gebeurd. De meeste agenten waren aan het telefoneren. Ik heb de hele tijd zitten sms'en.' Ze wachtte even en vroeg zich af of ze Mona moest vertellen over het 'echt niet'-berichtje dat ze had ontvangen van A, wie A ook mocht zijn. Maar waarom zou ze? Het had toch niks te betekenen, of wel soms?

Mona nam een slokje van haar Perrier. 'Ik dacht dat jij nooit betrapt werd.'

Hanna slikte iets weg. 'Nou ja…'

'Dat je moeder je niet vermóórd heeft…'

Hanna wendde haar blik af. Op de terugweg had haar moeder aan Hanna gevraagd of ze de armband en de oorbellen opzettelijk had gestolen. Toen Hanna 'nee' antwoordde, zei mevrouw Marin: 'Goed, dan hebben we het er niet meer over.' En ze had haar telefoontje opengeklapt om iemand te bellen.

Hanna haalde haar schouders op en ging staan. 'Ik bedenk me ineens dat ik Dot moet uitlaten.'

'Gaat het echt wel goed met je? Je gezicht is een beetje vlekkerig.'

'Niks aan de hand.' Hanna smakte zwoel met haar lippen naar Mona en liep naar de deur.

Ze slenterde cool het restaurant uit, maar zodra ze op het parkeerterrein kwam, zette ze het op een lopen. Ze stapte in haar Toyota Prius – de auto die haar moeder vorig jaar voor zichzelf had gekocht maar die ze pasgeleden had doorgegeven aan Hanna omdat ze erop uitgekeken was – en bekeek haar gezicht in de binnenspiegel. Er zaten afzichtelijke, knalrode vlekken op haar wangen en voorhoofd.

Na haar metamorfose had Hanna er steeds op het neurotische af op toegezien dat ze er niet alleen altijd beheerst en perfect uitzag, maar dat ze het ook wás. Doodsbenauwd dat het kleinste foutje haar weer tot de oude slomerik zou maken, besteedde ze aandacht aan ieder detail, van onbenullige dingen als de ideale msn-naam en de juiste muziek op haar ingebouwde auto-iPod, tot grotere zaken als de mensen die ze thuis uitnodigde voordat ze naar een feestje gingen en de keuze van haar vriend, die natuurlijk heel populair moest zijn – en dat wás de jongen op wie ze al sinds de brugklas verliefd was ook. Had haar ontdekte winkeldiefstal een smet geworpen op de volmaakte, beheerste, supercoole Hanna die iedereen kende? Ze had de blik op Mona's gezicht toen ze 'Jakkes!' zei niet goed kunnen plaatsen. Had Mona met die blik willen zeggen: *Jakkes, maar het geeft niet?* Of juist: *Jakkes, wat een loser ben jij?*

Hanna vroeg zich af of ze het Mona misschien beter niet had kunnen vertellen. Maar… er was al iemand die het wist. A. *Wat denk je dat Sean dan zal zeggen? 'Echt niet.'*

Hanna's zicht werd wazig. Ze kneep even in het stuur, ramde toen het sleuteltje in het contact en reed langzaam het parkeerterrein van de countryclub af, over het grind naar de doodlopende weg verderop waar ze kon keren. Ze hoorde haar hart bonzen in haar slapen, en ze zette de motor af om even diep adem te halen. De wind rook naar hooi en pasgemaaid gras.

Hanna kneep haar ogen stijfdicht. Toen ze ze weer opendeed, staarde ze naar de bak met gefrituurde aardappeltjes. Niet doen, dacht ze. Op de hoofdweg zoefde een auto langs.

Hanna veegde haar handen af aan haar spijkerbroek. Ze gluurde nog een keer naar de bak. De aardappeltjes roken verrukkelijk. Niet doen, niet doen, niet doen.

Ze pakte de bak en maakte hem open. De zoete, warme geur kwam haar tegemoet. Voordat ze zichzelf kon tegenhouden, propte ze de aardappeltjes met handenvol tegelijk in haar mond. Ze waren nog zo warm dat ze haar tong verbrandde, maar het kon haar niet schelen. Het was een enorme opluchting; dit was het enige wat ze kon doen om zich beter te voelen. Ze at door tot ze allemaal op waren en likte toen zelfs de bak uit, tot het laatste korreltje zout.

Eerst voelde ze zich stukken rustiger. Maar tegen de tijd dat ze de oprit op reed, kwamen die oude vertrouwde gevoelens van paniek en schaamte weer naar boven. Het verbaasde Hanna dat het, ook al had ze dit jaren niet meer gedaan, nog precies hetzelfde voelde als vroeger. Ze had buikpijn, haar broek knelde en ze wilde alleen maar het eten kwijt dat ze had weggewerkt.

Zonder zich iets aan te trekken van Dots gejank in haar slaapkamer stoof Hanna naar de badkamer, smeet de deur achter zich dicht en liet zich op de tegelvloer zakken. Godzijdank was haar moeder nog niet thuis van haar werk. Nu zou ze tenminste niet horen wat Hanna op het punt stond te gaan doen.

12

HMM, DE GEUR VAN EEN VERSE EXAMENUITSLAG

Oké, Spencer moest tot bedaren zien te komen.

Woensdagavond reed ze met haar zwarte Mercedes C-klasse – een afdankertje van haar zus, die nu een nieuwe, 'praktische' Mercedes-suv had – de halfronde oprijlaan voor hun huis op. De vergadering met de studentenraad was uitgelopen en ze had het op haar zenuwen gekregen toen ze door de donkere straten van Rosewood reed. Al de hele dag had ze het gevoel dat iemand haar in de gaten hield, dat degene die haar dat 'vocabulaire'-mailtje over *begeren* had gestuurd haar elk moment kon bespringen.

Spencer moest telkens met een akelig gevoel denken aan die bekende paardenstaart voor het slaapkamerraam van Alison. Haar gedachten gingen weer naar Ali – naar alles wat ze over haar, Spencer, wist. Maar nee, dat was onzin. Alison was nu al drie jaar spoorloos, en hoogstwaarschijnlijk dood. Bovendien woonde er nu een nieuw gezin in haar huis. Ja, toch?

Spencer holde naar de brievenbus, pakte er een hele stapel post uit en gooide alles wat niet voor haar was terug. Ineens zag ze hem: een lange envelop, niet te dik en niet te dun, met haar naam keurig getypt in het venstertje. De afzender luidde: 'De examencommissie.' De uitslag was binnen!

Spencer scheurde de envelop open en liet snel haar blik over het papier gaan. Ze las de examenuitslagen zes keer voordat het tot haar doordrong.

Ze had 2350 punten; het maximum was 2400.

'Yessssss!' gilde ze, en ze kneep zo hard in de vellen papier dat ze verkreukelden.

'Zo! Daar is iemand heel blij!' klonk een stem vanaf de weg. Ze keek op. Uit het raampje aan de bestuurderskant van een zwarte Mini Cooper hing Andrew Campbell, de lange jongen met sproeten en lang haar die Spencer had verslagen in de strijd om het klassenvoorzitterschap. Ze waren in bijna alle vakken de nummer één en twee van de klas. Maar voordat ze kon opscheppen over haar examenuitslag – o, wat zou het lekker zijn om Andrew de score in te wrijven – reed hij al weg. De mafkees. Spencer liep naar de voordeur.

Toen ze enthousiast naar binnen wilde stormen, was er iets wat haar tegenhield: ze herinnerde zich de bijna volmaakte score van haar zus en rekende die snel om van de 1600-schaal die destijds nog gebruikt werd naar de 2400-schaal die tegenwoordig werd gehanteerd. Ze had een volle honderd punten minder dan Spencer. En waren de examens tegenwoordig ook niet moeilijker?

Wie was er nou zo geniaal?

Een uur later zat Spencer aan de keukentafel *Middlemarch* te lezen – een boek dat op de lijst met 'aanbevolen literatuur' voor Engels stond – toen ze een niesbui kreeg.

'Melissa en Wren zijn er.' Mevrouw Hastings kwam de keuken in met de post die Spencer in de brievenbus had achtergelaten. 'Ze hebben al hun spullen bij zich om hier te komen wonen!' Ze deed de ovendeur op een kier om de kip aan het spit en de meergranenbroodjes te controleren en liep toen door naar de huiskamer.

Spencer nieste nog een keer. Er hing altijd een wolk Chanel No. 5 om haar moeder heen – ook al zat ze de hele dag tussen de paarden – en Spencer was ervan overtuigd dat ze daar allergisch voor was. Ze overwoog om het nieuws van haar examenuitslag te vertellen, maar een opgewonden stem in de hal weerhield haar daarvan.

'Mam?' riep Melissa. Ze kwam samen met Wren de keuken binnen. Spencer deed alsof ze de saaie achterflap van *Middlemarch* bestudeerde.

'Hoi,' zei Wren boven haar.

'Hoi,' antwoordde ze koeltjes.

'Wat lees je?'

Spencer aarzelde. Het was beter om bij Wren uit de buurt te blijven, vooral nu hij hier kwam wonen.

Melissa liep voorbij zonder haar te begroeten en begon een stel paarse kussens uit een tas van Pottery Barn te halen. 'Deze zijn voor de bank in de woonschuur,' zei ze bijna schreeuwend. Spencer kromp ineen. Dit kon zij ook. 'O, Melissa!' riep ze uit. 'Je raadt nooit wie ik ben tegengekomen!'

Melissa ging door met uitpakken. 'Nou?'

'Ian Thomas! Hij is trainer van mijn hockeyteam.'

Melissa verstijfde. 'Is hij... Hè? Is hij híér? Zei hij nog iets over mij?'

Spencer haalde haar schouders op en deed alsof ze daarover moest nadenken. 'Nee, ik geloof het niet.'

'Wie is Ian Thomas?' vroeg Wren, tegen het marmeren keukeneiland geleund.

'Niemand,' snauwde Melissa, en ze richtte zich weer op de kussens. Spencer sloeg haar boek dicht en ging aan de eettafel in de huiskamer zitten. Zo. Beter.

Aan de lange, ouderwetse boerentafel ging ze met haar vinger over het lage glas zonder voet dat Candace, de huishoudster van het gezin, zojuist had gevuld met rode wijn. Haar ouders vonden het prima als hun kinderen alcohol dronken, als ze het maar thuis deden en niet achter het stuur gingen zitten, dus pakte ze het glas met twee handen beet en nam gulzig een grote slok. Toen ze opkeek, zat Wren aan de andere kant van de tafel naar haar te grijnzen, zijn rug kaarsrecht in de eetkamerstoel.

'Hé,' zei hij. Ze trok bij wijze van antwoord haar wenkbrauwen op.

Melissa en mevrouw Hastings kwamen ook aan tafel zitten, en Spencers vader dimde het licht van de kroonluchter en nam eveneens plaats. Een tijdje was het stil. Spencer tastte naar de examenuitslag in haar zak. 'Raad eens?' begon ze.

'Wren en ik zijn zo blij dat we hier tijdelijk mogen wonen!' riep Melissa op hetzelfde moment uit, en ze pakte Wrens hand.

Mevrouw Hastings lachte naar Melissa. 'Ik vind het altijd fijn als het hele gezin er is.'

Spencer beet op haar lip; haar maag rommelde nerveus. 'Pap, ik heb vandaag de...'

'O, jee,' viel Melissa haar in de rede, met een blik op de borden waarmee Candace de keuken uit kwam. 'Hebben we alleen kip? Wren probeert om geen vlees meer te eten.'

'Nee, dat is prima,' zei Wren snel. 'Kip is prima.'

'Ach!' Mevrouw Hastings wilde opstaan. 'Eet je geen vlees? Dat wist ik niet! Ik geloof dat er nog pastasalade in de koelkast staat, maar daar zou weleens ham in kunnen zitten...'

'Nee echt, het is prima.' Wren wreef ongemakkelijk over zijn hoofd, waardoor zijn zwarte haar piekerig overeind kwam te staan.

'Ach, wat vervelend nou,' zei mevrouw Hastings. Spencer rolde met haar ogen. Wanneer het hele gezin compleet was, wilde haar moeder dat iedere maaltijd – zelfs een snel ontbijt met cornflakes – perfect verliep.

Meneer Hastings keek Wren wantrouwend aan. 'Ik heb anders graag een lekkere biefstuk.'

'Natuurlijk.' Wren pakte zo abrupt zijn glas dat hij een beetje wijn morste op het tafelkleed.

Spencer zocht net naar een goede ingang om haar belangrijke mededeling te doen, toen haar vader zijn vork neerlegde. 'Ik heb een goed idee. Nu we hier allemaal samen zijn, kunnen we wel een spelletje Topper doen.'

'Ach, pap.' Melissa grinnikte. 'Nee.'

Haar vader glimlachte. 'Jawel. Ik heb een gewéldige dag gehad op mijn werk en ik ga jullie allemaal verslaan.'

'Wat is Topper?' vroeg Wren met vragend opgetrokken wenkbrauwen.

Spencer kreeg een nerveus, warm gevoel in haar maag. Topper was een spelletje dat hun ouders hadden verzonnen toen Spencer en Melissa klein waren; ze had het vermoeden dat ze het ooit op een of andere teambuildings-dag hadden geleerd. Het was heel eenvoudig: iedereen moest zijn grootste prestatie van die dag opnoemen en dan kozen de anderen een 'topper'. Het was bedoeld om de deelnemers een trots en tevreden gevoel te bezorgen, maar bij de familie Hastings was het altijd een verbeten strijd om te winnen.

Maar dit was voor Spencer wel de ideale manier om haar examenscore te onthullen.

'Je leert het vanzelf, Wren,' zei meneer Hastings. 'Ik begin. Vandaag heb ik een verdediging opgezet waar mijn cliënt zo tevreden over was dat hij me extra geld heeft geboden.'

'Indrukwekkend,' zei haar moeder, en ze nam een piepklein hapje van haar bieten. 'Nu ik. Vanmorgen heb'ik Eloise glansrijk verslagen met tennissen.'

'Eloise nog wel!' riep haar vader voordat hij nog een slok wijn nam. Spencer gluurde even naar Wren aan de andere kant van de tafel. Hij zat zorgvuldig het vel van zijn kippenbout te pulken, zodat hij haar blik kon ontwijken.

Haar moeder bette haar mond met een servet. 'Melissa?'

Melissa vouwde haar handen ineen; ze had heel korte nagels. 'Hmm, ik heb de bouwvakkers geholpen met het betegelen van de badkamer – alleen dan wordt het precies zoals ík het wil.'

'Wat goed, lieverd,' zei haar vader.

Spencer wiebelde nerveus met haar benen.

Meneer Hastings hield even op met wijn drinken. 'Wren?'

Wren keek geschrokken op. 'Ja?'

'Jij bent aan de beurt.'

Wren speelde met zijn wijnglas. 'Ik weet niet wat er van me wordt verwacht…'

'We doen Topper,' zei mevrouw Hastings opgewekt, alsof het net zo'n algemeen bekend spel was als Scrabble. 'Wat heb jij, meneer de dokter, vandaag voor prachtigs gedaan?'

'O.' Wren knipperde met zijn ogen. 'Nou, eigenlijk niets. Ik had vandaag vrij, dus ben ik met een paar vrienden van het ziekenhuis naar de kroeg gegaan om naar de wedstrijd van de Philly's te kijken.'

Stilte. Melissa wierp Wren een teleurgestelde blik toe.

'Dat is anders een mooie prestatie,' schoot Spencer hem te hulp. 'Als je ziet hoe beroerd ze gespeeld hebben, is het nog een hele klus om daarnaar te kijken.'

'Ja, ze speelden tamelijk beroerd, hè?' Wren lachte dankbaar naar haar.

'Afijn,' zei haar moeder. 'Melissa, wanneer beginnen jouw colleges?'

'Wacht even!' riep Spencer uit. Ze gingen haar dus mooi niet overslaan! 'Ik heb ook iets voor Topper.'

De saladevork van haar moeder bleef in de lucht hangen. 'Sorry.'

'Oeps!' viel haar vader zijn vrouw lachend bij. 'Vertel op, Spence.'

'De uitslag van mijn examens is binnen. En eh... hier.' Ze haalde het papier met de score uit haar zak en schoof het naar haar vader toe.

Zodra hij het aannam, wist ze wat er zou gebeuren. Het zou ze niets doen. Wat stelde zo'n examen nou voor? Ze zouden nog een glas beaujolais nemen en over Melissa en Wharton praten, en dat was het dan. Haar wangen gloeiden. Waarom deed ze eigenlijk nog moeite?

Toen zette haar vader zijn wijnglas neer en bestudeerde het papier. 'Wauw.' Hij wenkte zijn vrouw. Zodra zij het papier zag, hapte ze naar adem.

'Hoger kan bijna niet, hè?' vroeg mevrouw Hastings.

Melissa rekte haar hals om het ook te kunnen zien. Spencer durfde bijna niet te ademen. Melissa keek over het bloemstuk met seringen en pioenrozen heen kwaad haar kant op. Het was een blik die Spencer op het idee bracht dat Melissa misschien dat griezelige mailtje van gisteren wel had geschreven. Maar toen Spencer haar aankeek, glimlachte ze breed. 'Je hebt wel heel hard gestudeerd, hè?'

'Is dat een goede score?' vroeg Wren met een snelle blik op het papier.

'Het is een fantastische score!' bulderde meneer Hastings.

'Wat ontzettend goed,' riep mevrouw Hastings uit. 'Hoe wil je het vieren, Spencer? Een etentje in de stad? Heb je soms iets gezien wat je graag zou willen kopen?'

'Toen ik míjn uitslag binnen had, heb ik van jullie op die veiling een eerste druk van Fitzgerald gekregen, weet je nog?' zei Melissa stralend.

'Inderdaad!' kirde mevrouw Hastings.

Melissa wendde zich tot Wren. 'Jij zou het enig gevonden hebben. Het is ontzettend leuk om te bieden.'

'Denk er maar eens over na,' zei haar moeder tegen Spencer. 'Probeer iets blijvends te verzinnen, zoals het cadeau dat we Melissa hebben gegeven.'

Spencer rechtte langzaam haar rug. 'Eerlijk gezegd weet ik al iets.'

'Wat dan?' Haar vader leunde naar voren in zijn stoel.

Daar gaat-ie dan, dacht Spencer. 'Wat ik echt heel, héél graag zou willen, nu meteen en niet over een paar maanden, is in de schuur gaan wonen.'

'Maar…' begon Melissa, maar ze legde zichzelf het zwijgen op. Wren schraapte zijn keel. Haar vader fronste zijn voorhoofd en Spencers maag gromde luid en hongerig. Ze legde haar hand erop.

'Is dat echt je grote wens?' vroeg haar moeder.

'Hm-hm.'

'Goed,' zei mevrouw Hastings met een blik op haar man. 'Nou…'

Melissa legde luidruchtig haar vork neer. 'En Wren en ik dan?'

'Je zei zelf al dat de verbouwing niet zo lang zal duren.' Mevrouw Hastings legde een hand op haar kin. 'Jullie kunnen jouw oude slaapkamer wel nemen.'

'Maar daar staat geen tweepersoonsbed,' zei Melissa op een kinderachtig toontje dat ze niet van haar gewend waren.

'Dat geeft toch niet,' zei Wren snel. Melissa wierp hem een dreigende blik toe.

'We zouden de twijfelaar uit de woonschuur op Melissa's kamer kunnen zetten, dan neemt Spencer haar eigen bed mee,' stelde mevrouw Hastings voor.

Spencer geloofde haar oren niet. 'Mag dat echt?'

Mevrouw Hastings trok haar wenkbrauwen op. 'Melissa, dat overleef je toch wel?'

Melissa streek haar haar uit haar gezicht. 'Jawel…' zei ze. 'Ik bedoel, persoonlijk vind ik zo'n eerste druk een geschikter cadeau, maar ja…'

Wren nam discreet een slokje wijn. Toen Spencer zijn blik ving, knipoogde hij. Meneer Hastings zei tegen haar: 'Dat is dan geregeld.'

Ze sprong op en omhelsde haar ouders. 'Dank je wel, dank je wel, dank je wel!'

Haar moeder straalde. 'Je zou eigenlijk morgen meteen moeten verhuizen.'

'Spencer, jij bent duidelijk de Topper vandaag.' Haar vader hield haar examenuitslag omhoog; er zaten inmiddels een paar wijnvlekken op. 'Dit moeten we inlijsten als aandenken!'

Spencer grijnsde. Ze hoefde niks in te lijsten. Deze dag zou ze van haar leven niet meer vergeten.

13

EERSTE BEDRIJF: MEISJE SLOOFT ZICH UIT VOOR JONGEN

'Heb je zin om volgende week maandagavond mee te gaan naar de opening van een tentoonstelling bij Chester Springs?' vroeg Aria's moeder Ella.

Het was donderdagochtend en Ella zat tegenover Aria aan de ontbijttafel met een lekkende zwarte pen de kruiswoordpuzzel in de *New York Times* in te vullen en een kom Cheerios te eten. Ze was pas weer begonnen met haar parttimebaan bij een kunstgalerie, en nu kreeg ze overal uitnodigingen voor.

'Gaat papa dan niet mee?' vroeg Aria.

Haar moeder perste haar lippen op elkaar. 'Hij heeft het druk met het voorbereiden van zijn lessen.'

'O.' Aria plukte een los draadje van de handschoenen-zonder-vingers die ze had gebreid tijdens een lange treinreis naar Griekenland. Hoorde ze daar wantrouwen in haar moeders stem? Aria was altijd bang dat Ella het te weten zou komen van Meredith en dat ze haar nooit zou vergeven dat ze het had verzwegen.

Aria kneep haar ogen dicht. Niet aan denken, dacht ze. Ze schonk grapefruitsap in een glas. 'Ella?' vroeg ze. 'Ik heb advies nodig op liefdesgebied.'

'Op liefdesgebied?' vroeg haar moeder plagend.

'Ja. Er is een jongen die ik leuk vind, maar hij is... onbereikbaar. Ik weet niet meer hoe ik hem ervan moet overtuigen me leuk te vinden.'

'Wees gewoon jezelf!'

Aria kreunde. 'Dat heb ik al geprobeerd.'

'Ga dan uit met een jongen die wél bereikbaar is.'

Aria rolde geërgerd met haar ogen. 'Wil je me nou helpen of niet?'

'Oei, wat zijn we lichtgeraakt!' Ella lachte en knipte in haar vingers. 'Ik heb net een artikel gelezen.' Ze hield de *Times* omhoog. 'Er is een enquête geweest over wat mannen aantrekkelijk vinden aan vrouwen. Wat je wat op nummer één staat? Intelligentie. Wacht, ik zoek het voor je op...' Ze bladerde door de krant en gaf Aria de bladzijde met het artikel.

'Vindt Aria een jongen leuk?' Mike kwam de keuken binnen en griste een geglazuurde donut uit de doos op het kookeiland.

'Nee!' zei Aria snel.

'Nou, er is anders wel iemand die jóú leuk vindt,' zei Mike. 'Hoe onsmakelijk dat ook mag zijn.' Hij maakte een kotsgeluid.

'Wie dan?' vroeg Ella enthousiast.

'Noel Kahn,' antwoordde Mike met een grote hap half fijngekauwde donut in zijn mond. 'Hij vroeg naar je tijdens de lacrossetraining.'

'Noel Kahn?' zei Ella, en haar blik ging van Mike naar Aria en terug. 'Wie is dat? Was hij hier drie jaar geleden ook? Ken ik hem?'

Aria rolde kreunend met haar ogen. 'Ach, da's niemand.'

'Niemand?' vroeg Mike afkeurend. 'Het is toevallig wel de coolste jongen uit jouw jaar.'

'Als jij het zegt.' Aria kuste haar moeder boven op haar kruin, liep de gang in en staarde naar het krantenartikel in haar hand. Dus mannen vielen op hersenen? Nou, IJsland-Aria kon beslist intelligent uit de hoek komen.

'Wat heb jij tegen Noel Kahn?' Aria schrok zich rot toen ze opeens Mikes stem hoorde. Mike stond vlak bij haar met een pak sinaasappelsap in zijn hand. 'Hij is hartstikke tof.'

Aria kreunde. 'Als je hem zo geweldig vindt, neem je toch zelf verkering met hem.'

Mike dronk uit het pak, veegde zijn mond af en staarde haar aan. 'Wat doe je raar de laatste tijd. Heb je geblowd? En zo ja, heb je voor mij ook wat?'

Aria snoof minachtend. In IJsland had Mike constant geprobeerd drugs te scoren, en toen hij van een paar jongens in de haven een piepklein zakje wiet had gekocht, was hij helemaal uit zijn dak gegaan. Het spul bleek niks voor te stellen, maar Mike had het evengoed vol trots opgerookt.

Hij wreef over zijn kin. 'Ik denk dat ik weet waarom je zo raar doet.'

Aria draaide zich om naar de kast. 'Je lult uit je nek.'

'Denk je dat? Echt niet. En zal ik je eens wat zeggen? Ik ga uitzoeken of mijn vermoeden klopt.'

'Veel succes, Sherlock.' Ze trok haar jas aan. Ook al wist ze dat Mike waarschijnlijk onzin uitkraamde, ze hoopte maar dat hij niet had gehoord dat haar stem trilde.

Terwijl de rest van de klas het lokaal binnendruppelde voor de Engelse les – de jongens bijna allemaal ongeschoren, met stoppels van een paar dagen, en de meeste meisjes op dezelfde sandalen met plateauzolen als Mona en Hanna droegen – bekeek Aria haar zojuist volgekrabbelde aantekenkaartjes nog eens. Ze zou vandaag een spreekbeurt geven over een toneelstuk: *Waiting for Godot.* Aria was dol op spreekbeurten – ze had er de ideale hese stem voor – en toevallig kende ze het stuk heel goed. Ze had er een keer een hele zondag in een bar in Reykjavik fel over zitten discussiëren met een jongen die sprekend op Adrien Brody leek... onder het genot van verrukkelijke appelmartini's, voetjevrijend onder de tafel. Vandaag was dus niet alleen een uitgelezen kans om als topleerling voor de dag te komen, het was ook nog eens een mooie gelegenheid om iedereen te laten zien hoe cool IJsland-Aria was.

Ezra kwam het lokaal binnen – verfomfaaid, lekker boekenwurmerig en om op te vreten – en klapte in zijn handen. 'Oké, mensen,' zei hij. 'We hebben vandaag een hoop te doen. Stilte alsjeblieft.'

Hanna Marin draaide zich om en grijnsde naar Aria. 'Wat voor ondergoed zou hij dragen?'

Aria glimlachte neutraal – een gestreepte katoenen boxershort natuurlijk – en richtte haar aandacht weer op Ezra.

'Goed.' Ezra liep naar het schoolbord. 'Iedereen heeft het stuk gelezen, hè? Hebben we allemaal een verslag gemaakt? Wie wil er eerst?'

Aria's hand vloog de lucht in. Ezra knikte naar haar. Ze liep naar voren, drapeerde haar zwarte lokken extra aantrekkelijk over haar schouders en controleerde even of haar grote koraalketting niet in haar kraag bleef hangen. Snel las ze de eerste zinnen van haar aantekenkaartje.

'Vorig jaar heb ik *Waiting for Godot* gezien in Parijs,' begon ze. Ze zag dat Ezra bijna onmerkbaar zijn wenkbrauwen optrok. 'In een theatertje vlak bij de Seine, waar het rook naar de kaasbrioches van de bakker verderop.' Ze zweeg even. 'Roep het beeld even op: een enorme rij mensen voor de ingang, een vrouw die haar twee witte poedeltjes op de arm draagt, en in de verte de Eiffeltoren.' Ze keek even op. Iedereen hing aan haar lippen! 'Ik voelde de energie, de opwinding, de pássie in de lucht. En dat lag niet alleen aan het feit dat iedereen daar zomaar bier kan kopen, zelfs mijn jongere broertje,' voegde ze eraan toe.

'Niet slecht!' onderbrak Noel Kahn haar.

Aria glimlachte. 'De stoelen waren van paars pluche en roken naar Franse boter, die veel zoeter is dan Amerikaanse. Daarom is het gebak er zo verrukkelijk.'

'Aria,' zei Ezra.

'Met zulke boter kun je zelfs escargots lekker maken.'

'Aria!'

Aria zweeg. Ezra sloeg zijn armen over elkaar voor zijn Rosewood-blazer en leunde tegen het bord. 'Ja?' vroeg ze met een glimlach.

'Ik moet je een halt toeroepen.'

'Maar... ik ben nog maar net begonnen!'

'Ik wil minder horen over pluchen stoelen en gebak en meer over het stuk zelf.'

De klas lachte besmuikt. Aria schuifelde terug naar haar plaats en ging zitten. Begreep hij dan niet dat dat *sfeerbeelden* waren?

Noel Kahn stak zijn hand op.

'Noel?' zei Ezra. 'Wil jij je verslag voorlezen?'

'Nee,' antwoordde Noel, en de klas begon te lachen. 'Ik wilde alleen zeggen dat ik Aria's spreekbeurt goed vond. Leuk.'

'Dank je,' zei Aria zachtjes.

Noel draaide zich om. 'Mag in Frankrijk echt iedereen alcohol drinken?'

'Ja.'

'Ik ga van de winter misschien met mijn ouders naar Italië.'
'Italië is geweldig. Je vindt het daar vast super.'
'Zeg, zijn jullie klaar?' vroeg Ezra. Hij keek geërgerd naar Noel.
Aria drukte haar knalroze nagels in de houtnerven van haar tafeltje.
Noel draaide zich weer naar haar om. 'Hadden ze er ook absint?' fluisterde hij.
Ze knikte, stomverbaasd dat Noel zelfs maar van absint had gehoord.
'Meneer Kahn,' onderbrak Ezra hem streng. Een beetje te streng. 'Zo is het wel genoeg.'
Hoorde ze daar jaloezie in zijn stem?
'Nou nou,' zei Hanna. 'Is er iets in zijn kont gekropen of zo?'
Aria moest haar lachen inhouden. Ze had de indruk dat de leraar Engels een beetje nerveus werd van een zekere superleerling.
Ezra riep Devon Arliss naar voren, en die stak van wal. Toen Ezra aan de kant ging staan en met zijn vinger tegen zijn kin aandachtig luisterde, had Aria het niet meer. Ze verlangde zo naar hem dat ze het in haar hele lijf voelde trillen.
Nee, wacht. Dat was haar mobieltje, dat in de grote limoengroene tas aan haar voeten zat. Heel langzaam haalde ze het eruit. Eén nieuw bericht:

```
Aria,
Misschien rommelt hij wel heel vaak met studenten.
Dat doen veel leraren… vraag maar aan je vader!
-A
```

Aria klapte snel haar telefoon dicht. Maar toen deed ze hem weer open om het bericht nog een keer te lezen. En nog eens. Terwijl ze dat deed, gingen de haartjes op haar armen overeind staan. Niemand in het lokaal had zijn telefoon bij de hand. En niemand keek naar haar. Ze keek zelfs even naar het plafond en door de deur, maar er was niets bijzonders te zien. Alles was rustig.
'Dit kan niet waar zijn,' fluisterde Aria.
De enige die wist over haar vader was… Alison. En die had gezwóren erover te zwijgen *als het graf*. Was ze terug?

14

DAT ZAL JE LEREN DE
GOOGLE-STALKER UIT TE
HANGEN TERWIJL JE ZOU
MOETEN STUDEREN

Op haar vrije donderdagmiddag liep Spencer de leeszaal van Rosewood Day binnen. Met zijn kamerhoge kasten vol naslagwerken, de enorme globe in de hoek en het glas-in-loodraam in de achterwand was het haar lievelingsplek op de campus. Ze ging in het midden van de lege zaal staan, deed haar ogen dicht en snoof de geur van oude, in leer gebonden boeken op.

Alles zat mee vandaag: de onverwachte kou waardoor ze haar gloednieuwe, lichtblauwe wollen Marc Jacobs-jas aan kon, de perfecte dubbele koffie-verkeerd met magere melk in het Rosewood Day Café, een vlekkeloos verlopen mondeling Frans, en vanavond ging ze verhuizen naar de woonschuur terwijl Melissa genoegen moest nemen met haar oude, krappe kamertje.

Ondanks dat alles hing er een soort vreemde sluier om haar heen. Het was een combinatie van dat knagende gevoel dat ze wel eens had als ze iets was vergeten, en het idee dat iemand... haar in de gaten hield. Het was wel duidelijk hoe dat kwam: door die akelige e-mail over 'begeren', de glimp van het blonde haar voor Ali's oude raam en het feit dat alleen Ali het wist van Ian...

In een poging het uit haar hoofd te zetten ging ze achter de computer zitten, trok de tailleband van haar marineblauwe Wolfordpanty recht en logde in. Ze begon informatie op te zoeken voor haar werkstuk, maar nadat ze een lijstje google-uitkomsten had afgewerkt, toetste ze 'Wren Kim' in bij de zoekmachine. Toen ze de resultaten bekeek, begon ze te giechelen. Op een site van de Mill Hill School in Londen stond een foto van een langharige Wren naast een bunsenbrander en een hoop reageerbuisjes. Er was ook een link naar een studentenportal van het Corpus Christi College van Oxford, en een foto van Wren die er verrukkelijk uitzag in Shakespeare-outfit, met een oude schedel in zijn handen. Ze had niet geweten dat hij aan toneel deed. Toen ze probeerde de foto te vergroten om zijn strakke maillot beter te kunnen bekijken, werd er op haar schouder getikt.

'Is dat je vriendje?'

Spencer schrok zo dat ze haar Sidekick-telefoon met ingelegde kristalletjes op de grond liet vallen. Andrew Campbell stond achter haar onhandig te grijnzen.

Snel sloot ze het venster. 'Natuurlijk niet!'

Andrew bukte om haar telefoon op te rapen en streek een lok van zijn steile, schouderlange haar uit zijn ogen. Spencer zag ineens dat hij er best leuk uit zou kunnen zien, als hij die leeuwenmanen eens zou laten knippen.

'Oeps,' zei hij, en hij gaf haar de Sidekick terug. 'Ik geloof dat er een steentje af is.'

Spencer griste de telefoon uit zijn handen. 'Je liet me schrikken.'

'Sorry, hoor.' Andrew lachte. 'Dus je vriend is acteur?'

'Ik zei toch dat hij mijn vriend niet is!'

Andrew deed een stapje terug. 'Sorry. Ik wilde zomaar een praatje maken.'

Spencer keek hem wantrouwend aan.

'Hoe dan ook,' ging Andrew verder, en hij hees zijn North Face-rugzak hoger om zijn schouder. 'Ik vroeg me af of je morgen ook naar Noel gaat. Je kunt wel met mij meerijden, als je wilt.'

Spencer keek hem even niet-begrijpend aan, en toen wist ze het weer: het feest van Noel Kahn. Vorig jaar was ze erheen geweest. Het bier werd er met trechters naar binnen gegoten en vrijwel ieder meisje had haar vriend bedrogen. Dit jaar zou het er wel weer hetzelfde aan toegaan. En dacht Andrew nou echt dat ze met hém zou meerijden, in die Mini van hem? Pasten ze daar eigenlijk wel allebei in? 'Dacht het niet,' zei ze.

Andrews gezicht betrok. 'Ja, je zult het wel druk hebben.'

Spencer fronste haar voorhoofd. 'Waar slaat dat op?'

Andrew haalde zijn schouders op. 'Die indruk kreeg ik. Je zus is toch bij jullie?'

Spencer leunde achterover in haar stoel en zoog haar onderlip naar binnen. 'Ja, sinds gisteravond. Hoe weet...'

Ze zweeg. Wacht eens even! Andrew reed voortdurend met zijn Mini bij haar door de straat. Ze had hem gisteren nog gezien toen ze bij de brievenbus stond met haar examenuitslag...

Ze slikte. Nu ze erover nadacht, kon het best wel eens zo zijn dat ze zijn zwarte Mini ook had zien langsrijden op de dag dat ze met Wren in de jacuzzi had gezeten. Andrew was vast heel vaak langsgereden om te kijken of Melissa thuis was. Stel nou eens... stel nou eens dat Andrew degene was die haar bespioneerde? Dat Andrew dat akelige mailtje over 'begeren' had gestuurd? Hij was er fanatiek genoeg voor. Was het sturen van dreigende berichtjes niet een goede manier om haar van haar stuk te brengen, zodat hij zelf meer kans maakte om volgend jaar weer tot klassenvoorzitter gekozen te worden? Of... beter nog: om haar uit te schakelen als concurrente in de strijd om de afscheidsrede van volgend jaar? En dan dat lange haar van hem! Misschien was hij wel degene die ze voor Ali's oude slaapkamerraam had gezien.

Niet te geloven! Spencer staarde verbijsterd naar Andrew.

'Is er iets?' Hij keek bezorgd.

'Ik moet gaan.' Ze pakte haar boeken en liep de leeszaal uit.

'Wacht!'

Spencer liep door. Maar toen ze de deur openduwde, besefte ze dat ze niet eens woedend was. Natuurlijk, het was bizar dat Andrew haar bespioneerde, maar als hij die A was, was ze veilig. Wat hij ook over haar meende te weten, het stelde niets voor... níéts... vergeleken met wat Alison wist.

Ze kwam tegelijk met Emily Fields bij de buitendeur aan.

'Hoi,' zei Emily. Er gleed een nerveuze blik over haar gezicht.

'Hoi,' antwoordde Spencer. Emily trok haar rugzak recht. Spencer streek haar pony uit haar gezicht. Wanneer had ze Emily voor het laatst gesproken?

'Het is ineens koud buiten, hè?' zei Emily.

Spencer knikte. 'Ja.'

Emily lachte alsof ze wilde zeggen: ik weet niet wat ik tegen jou moet zeggen. Toen pakte Tracey Reid van het zwemteam haar bij de arm. 'Wanneer krijg jij je geld voor een nieuw badpak?' vroeg ze. Toen Emily antwoord gaf, veegde Spencer een denkbeeldig pluisje van haar blazer en vroeg zich af of ze zo kon weglopen of dat ze nog officieel afscheid moest nemen. Toen viel haar oog op Emily's pols. Ze droeg nog steeds het blauwe kralenarmbandje van de basisschool. Alison had er vlak na het ongeluk – Het Voorval Met Jenna – voor hen allemaal eentje gemaakt.

Aanvankelijk hadden ze het alleen op Jenna's broertje gemunt; het was als grap bedoeld. Nadat ze met z'n vijven de voorbereidingen hadden gedaan, was Ali door zijn slaapkamerraam gaan kijken, en toen het gebeurde, gebeurde er iets… *vreselijks*… met Jenna.

Nadat de ambulance bij het huis van Jenna was weggereden, had Spencer iets ontdekt over het ongeluk wat geen van de andere meiden ooit had geweten: Toby mocht Ali dan gezien hebben; Ali had Toby *iets even ergs* zien doen. Hij kon haar niet verraden omdat zij hém dan zou verraden.

De volgende dag had Ali voor iedereen een armbandje gemaakt om hun eraan te herinneren dat ze voor altijd vriendinnen waren en dat ze, nu ze dit gemeenschappelijke geheim hadden, elkaar voor altijd moesten beschermen. Spencer had gewacht op het moment dat Ali de anderen zou vertellen dat iemand haar had gezien, maar dat had ze niet gedaan.

Toen Spencer na Ali's verdwijning door de politie was verhoord, hadden ze gevraagd of Ali vijanden had gehad, iemand die zo'n hekel aan haar had dat hij of zij haar iets zou willen aandoen. Spencer had geantwoord dat Alison een populair meisje was en dat er, zoals bij alle populaire meisjes, wel anderen waren die haar niet mochten, maar dat dat gewoon jaloezie was.

Dat was natuurlijk glashard gelogen. Er waren wel degelijk mensen die een hekel aan Ali hadden, en Spencer wist dat ze de politie had moeten vertellen over Het Voorval Met Jenna… dat Toby Ali misschien iets wilde aandoen… maar ze kon het de politie onmogelijk vertellen zonder erbij te vermelden… nou ja, hoe het zat. En toen ze er eenmaal tegen de politie over had gelogen, kon ze er bij haar vriendinnen niet meer mee aankomen. Toen Toby en Jenna verhuisd waren, dacht Spencer dat ze veilig waren en dat niemand hun geheim nog kon ontdekken. Toby vormde geen gevaar meer. En Spencer hoefde haar beste vriendinnen nooit te vertellen wat alleen zij wist.

Toen Tracey Reid afscheidnam, draaide Emily zich om. Het leek haar te verbazen dat Spencer er nog stond. 'Ik moet naar de les,' zei ze. 'Maar het was leuk om je te zien.'

'Doei,' antwoordde Spencer, en Emily en zij glimlachten nog één keer ongemakkelijk naar elkaar.

15

JE HAD ZIJN MANNELIJKHEID
NOOIT MOGEN BELEDIGEN

'Wat een luie boel! Ik wil wat meer pit zien!' riep coach Lauren vanaf de kant.

Die donderdagmiddag deinde Emily samen met de andere zwemmers heen en weer in het helderblauwe water van het zwembad van Rosewood, toegeschreeuwd door hun tamelijk jonge, voormalig olympische trainster Lauren Kinkaid. Het zwembad was vijfentwintig meter breed en vijftig meter lang, met een klein, dieper duikgedeelte. In het dak zaten ramen over de hele lengte van het bad, dus als je 's avonds rugslag deed kon je de sterren zien.

Emily hield zich vast aan de kant en trok haar badmuts over haar oren. Oké, meer pit. Ze moest zich vandaag volledig concentreren.

Gisteravond, toen ze terug was van haar middag aan de rivier met Maya, had ze heel lang op bed gelegen, heen en weer geslingerd tussen een warm, blij gevoel om de leuke tijd die ze met Maya had gehad... en een ongemakkelijk, onrustig gevoel vanwege Maya's bekentenis. *Ik weet niet of ik wel op jongens val. Ik heb liever iemand die meer op mezelf lijkt.* Bedoelde Maya,wat Emily dacht dat ze bedoelde?

Als ze eraan terugdacht hoe uitgelaten Maya was geweest bij de waterval – om nog maar te zwijgen van de manier waarop ze elkaar hadden gekieteld en aangeraakt – kreeg Emily de zenuwen. Toen ze gisteravond thuis was, had ze in haar zwemtas gezocht naar dat briefje van A van de vorige dag. Ze had het steeds weer overgelezen en ieder woord apart ontleed, tot ze vlekken voor haar ogen had.

Tegen etenstijd had ze besloten dat ze zich weer op het zwemmen moest gaan storten. Geen gespijbel meer. Geen slap gedoe. Van nu af aan zou ze een modelzwemster zijn.

Ben kwam aangezwommen en pakte met twee handen de kant vast. 'Ik heb je gisteren gemist.'

'Hmmm.' Ze moest met Ben ook een nieuwe start maken. Met zijn sproetjes, felblauwe ogen, stoppeltjeskin en prachtig strakke zwemmerslijf zag hij er toch hartstikke lekker uit? Ze probeerde zich voor te stellen hoe Ben van het bruggetje bij het Marwyn-pad zou springen. Zou hij erom lachen of zou hij het kinderachtig vinden?

'Waar was je?' Ben blies op zijn zwembrilletje om te voorkomen dat het zou beslaan.

'Ik moest bijles Spaans geven.'

'Heb je zin om na de training mee naar mij te gaan? Mijn ouders komen pas om acht uur thuis.'

'Ik eh... weet niet of ik kan.' Emily zette zich af van de kant en begon te watertrappelen. Ze staarde naar haar wazige benen en voeten.

'Hoezo?' Ben duwde zich af en kwam naar haar toe.

'Omdat...' Ze kon niets verzinnen.

'Je wilt het maar al te graag,' fluisterde Ben. Hij maakte kommetjes van zijn handen en spetterde haar nat. Maya had gisteren hetzelfde gedaan, maar deze keer deinsde Emily fel achteruit.

Ben hield op met spetteren. 'Wat is er nou?'

'Niet doen.'

Hij pakte haar bij haar middel. 'Hou je niet van spetteren?' vroeg hij met een babystemmetje.

Ze wurmde zich los. *'Niet doen.'*

Hij zwom weg. 'Dan niet.'

Zuchtend zwom Emily naar de andere kant van de baan. Ze mocht Ben graag, echt waar. Misschien moest ze inderdaad maar met hem mee naar huis gaan na het zwemmen. Dan konden ze de afleveringen van *American Chopper* kijken die hij had opgenomen en pizza bestellen bij Di Silvio, en hij zou met zijn hand onder haar niet bepaald sexy sportbeha voelen. Ze kreeg opeens tranen in haar ogen. Ze wilde helemaal niet bij Ben in het souterrain op die blauwe kriebelbank zitten, stukjes oregano tussen haar tanden uit pulken en met haar tong in zijn mond roeren. Echt niet. Ze was niet het type dat kon doen alsof. Maar wilde dat zeggen dat ze het wou uitmaken? Het viel niet mee om een beslissing te nemen over een jongen die een meter vóór je in dezelfde baan zwom.

Haar zus Carolyn, die in de baan naast haar trainde, tikte Emily op de schouder. 'Gaat het wel goed met je?'

'Ja, hoor,' mompelde Emily, en ze pakte een blauw drijfplankje. 'Fijn.' Carolyn keek erbij alsof ze nog wat wilde zeggen. Na haar middag met Maya aan de rivier gisteren was Emily net op tijd met de Volvo het parkeerterrein op gescheurd om Carolyn door de klapdeuren van het zwembad naar buiten te zien komen. Toen Carolyn vroeg waar ze had gezeten, had Emily gezegd dat ze bijles Spaans had moeten geven. Carolyn leek haar te geloven, ondanks Emily's natte haar en het rare tikgeluidje dat de auto maakte – dat deed hij alleen na een lange rit, als de motor moest afkoelen.

Ook al leken de zusjes op elkaar – ze hadden allebei dikke sproeten op hun neus, chloorgebleekt roodbruin haar en korte wimpers die smeekten om Maybelline Great Lash – en al sliepen ze samen op één kamer, ze hadden niet zo'n hechte band. Carolyn was stil, ingetogen en gehoorzaam, en hoewel Emily dat ook allemaal was, leek Carolyn er heel tevreden mee te zijn.

Coach Lauren gaf het fluitsignaal. 'Plankjes! Allemaal naast elkaar!'

De zwemmers vormden een rij op volgorde van langzaam naar snel en hielden de drijfplankjes voor zich. Ben lag vóór Emily. Hij keek haar aan en trok vragend een wenkbrauw op.

'Ik kan vanavond niet komen,' zei ze zacht, zodat de andere jongens – die op een kluitje achter haar lagen en lachten om het vlekkerige bruin-zonder-zonresultaat van Gemma Curran – het niet konden horen. 'Sorry.'

Bens mond verstarde tot een rechte lijn. 'Alsof ik daar nog van opkijk.' Zodra Lauren weer floot zette hij zich af van de kant en begon als een dolfijn met zijn benen te schoppen. Emily wachtte, slecht op haar gemak, tot Lauren weer floot en volgde zijn voorbeeld.

Tijdens het zwemmen staarde Emily naar Bens pompende benen. Wat stond dat suf, die badmuts over zijn korte haar. Voor wedstrijden schoor hij altijd dwangmatig ieder haartje van zijn lijf, tot zijn armen en benen toe. Nu spatte hij overdreven met zijn voeten, precies in Emily's gezicht. Ze keek kwaad naar zijn hoofd dat voor haar op en neer ging en trappelde harder.

Ook al was ze vijf seconden na hem vertrokken, Emily kwam bijna tegelijk met Ben bij de overkant aan. Hij draaide zich pissig om. De zwemetiquette schreef voor dat hoe goed je ook was, als iemand in de baan je voeten bereikte, je die persoon liet voorgaan. Maar Ben zette zich af en zwom weg.

'Ben!' riep Emily hem na; de irritatie in haar stem was hoorbaar. Hij ging staan in het ondiepe gedeelte en draaide zich om. 'Wat nou?'

'Laat me even voorgaan.'

Ben rolde geërgerd met zijn ogen en dook onder water.

Emily duwde zich af van de kant en trappelde als een gek tot ze hem had ingehaald. Aan de overkant draaide hij zich naar haar om.

'Hou verdomme een beetje afstand!' schrééuwde hij half.

Emily barstte in lachen uit. 'Je hoort me nu voor te laten.'

'Als je niet pal achter me vertrokken was, zou je me misschien niet zo op de hielen hebben gezeten.'

Ze snoof. 'Kan ik er wat aan doen dat ik sneller ben dan jij?'

Bens mond viel open. Oeps.

Emily likte aan haar lippen. 'Ben...'

'Nee.' Hij stak zijn hand op. 'Ga maar lekker heel hard zwemmen, oké?' Hij smeet zijn zwembrilletje op de kant. Het stuiterde een keer en ketste terug het water in, rakelings langs de bruin-zonder-zonschouder van Gemma.

'Ben...'

Hij wierp haar nog een woedende blik toe, draaide zich om en klom het bad uit.

Emily zag hem kwaad de deur van de jongenskleedkamer openduwen.

Hoofdschuddend keek ze naar de heen en weer zwaaiende klapdeuren. Toen dacht ze aan Maya's woorden van de vorige dag.

'Ga een eland neuken,' probeerde ze zachtjes, en ze moest lachen.

16

VERTROUW NOOIT EEN UITNODIGING ZONDER AFZENDER

'En, kom je vanavond of niet?' Hanna bracht haar BlackBerry naar haar andere oor en wachtte op Seans antwoord.

Het was donderdag na school. Mona en zij hadden net samen snel een cappuccino gedronken in de koffiehoek, maar Mona had op tijd weg gemoeten om op haar swing te oefenen voor het moeder-dochtergolftoernooi waaraan ze dat weekend zou meedoen. Nu zat Hanna thuis op de veranda met Sean te bellen terwijl ze toekeek hoe de zesjarige tweeling van de buren met krijt verrassend anatomisch correcte poppetjes op het wegdek tekende.

'Ik kan niet,' antwoordde Sean. 'Het spijt me echt.'

'Maar donderdagavond komt *Nerve*, dat weet je toch!'

Hanna en Sean waren verslaafd aan het realityprogramma *Nerve*, waarin het leven werd gevolgd van vier stellen die elkaar online hadden ontmoet. De aflevering van vanavond was heel belangrijk, omdat hun twee favoriete deelnemers, Nate en Fiona, op het punt stonden het te gaan doen. Het leek Hanna in ieder geval een mooi uitgangspunt voor een gesprek.

'Ik... ik heb vanavond een vergadering.'

'Waarvan?'

'Eh... de M-club.'

Hanna's mond viel open. Een vergadering van de Maagdelijks-gelofte-club? 'Moet je daar per se naartoe?'

Hij was even stil. 'Ja.'

'Ga je dan morgen in ieder geval wél mee naar Noels feest?'

Weer een stilte. 'Dat weet ik nog niet.'
'Sean! Je moet mee!' Haar stem piepte.
'Goed dan,' antwoordde hij. 'Ik denk dat Noel ook wel een beetje pissig zou zijn als ik niet kwam.'
'Anders ik wel,' voegde Hanna eraan toe.
'Ja. Dan zie ik je morgen.'
'Sean, wacht...' begon Hanna, maar hij had al opgehangen.
Hanna maakte de voordeur open. Sean móést morgen mee naar dat feest. Ze had een onfeilbaar romantisch plan uitgedacht: ze ging met hem naar het bos bij Noels huis, waar ze elkaar de liefde zouden verklaren, en dan volgde de seks natuurlijk vanzelf. De M-club kon toch moeilijk bezwaar hebben tegen seks tussen mensen die verliefd op elkaar waren, hè? Bovendien was het bos van de familie Kahn legendarisch. Het stond bekend als het 'Echte Mannenbos' omdat er zoveel jongens tijdens een van de Kahn-feesten een echte man waren geworden – ofwel *het* voor het eerst hadden gedaan. Er werd gefluisterd dat de bomen er seksgeheimen doorgaven aan de nieuwelingen.

Ze bleef even staan voor de spiegel in de hal en trok haar truitje omhoog om haar strakke buikspieren te bekijken. Daarna draaide ze zich opzij om haar ronde kontje te bestuderen. Vervolgens boog ze naar de spiegel toe om haar huid te inspecteren. De rode vlekken van gisteren waren verdwenen. Ze ontblootte haar tanden. Een van haar onderste voortanden viel schuin over een hoektand. Was dat altijd al zo geweest?

Ze gooide haar goudleren handtas met brede hengsels op de keukentafel en trok de vriezer open. Haar moeder haalde nooit Ben & Jerry's in huis, dus moest ze genoegen nemen met suikervrije nepijswafels op tofubasis. Ze pakte er drie en scheurde gretig de verpakking van de eerste open. Na één hapje stak meteen die oude drang om door te eten de kop op.

'Hier Hanna, neem nog een slagroomsoesje,' had Ali gefluisterd op die dag dat ze bij haar vader in Annapolis op bezoek waren geweest. Toen had Ali zich tot Kate gewend, de dochter van haar vaders vriendin, en gezegd: 'Hanna boft maar, die kan alles eten zonder een grammetje aan te komen.'

Dat was natuurlijk niet waar. Daarom was het zo gemeen. Hanna was al mollig en dat werd alleen maar erger. Kate had gegicheld en Ali – die toch aan Hanna's kant had moeten staan – had meegelachen.

'Ik heb iets voor je.'

Hanna schrok op. Haar moeder zat aan het telefoontafeltje, gekleed in een felroze sportbeha en een zwarte yogabroek met wijde pijpen. 'O,' zei Hanna zacht.

Mevrouw Marin nam Hanna aandachtig op en haar blik bleef hangen op de ijswafels in haar hand. 'Moet je er nou echt dríe nemen?'

Hanna keek naar haar hand. Ze had het eerste ijsje binnen tien seconden naar binnen geschrokt, zonder het te proeven, en het volgende al uitgepakt.

Ze lachte flauwtjes naar haar moeder en legde snel de overgebleven ijsjes terug in de vriezer. Toen ze zich weer omdraaide, had haar moeder een blauw Tiffany-zakje op tafel gezet. Hanna keer er vragend naar. 'Is dat voor mij?'

'Maak maar open.'

In het zakje zat een Tiffany-doosje, met daarin de complete set van de armband en oorbellen die ze op het politiebureau aan de verkoopster had moeten teruggeven, maar nu compleet met halsketting. Hanna hield ze omhoog en liet ze schitteren in het lamplicht. 'Wauw.'

Mevrouw Marin haalde haar schouders op. 'Graag gedaan.' Toen, om aan te geven dat het gesprek beëindigd was, trok ze zich terug naar de serre, rolde haar paarse yogamatje uit en zette haar poweryoga-dvd op.

Hanna liet langzaam de oorbellen in het zakje glijden, verbaasd. Wat had ze toch een rare moeder. Op dat moment zag ze een roomkleurige vierkante envelop op het telefoontafeltje liggen. Hanna's naam en adres stonden er in hoofdletters op getypt. Ze glimlachte. Een uitnodiging voor een leuk feest was precies wat ze nodig had om op te vrolijken.

Inademen door de neus, uitademen door de mond, instrueerde de rustgevende stem van de yogi in de serre. Mevrouw Marin stond met haar armen slap langs haar zij. Ze verroerde zich niet eens toen haar BlackBerry *'Flight of the Bumblebee'* begon te zingen, het teken dat ze een mailtje had. Dit was haar moment voor zichzelf.

Hanna griste de envelop mee en liep de trap op naar haar kamer.

Ze ging op het hemelbed zitten, streelde haar superzachte lakens en lachte naar Dot, die tevreden in zijn eigen hondenbedje lag te slapen.

'Kom eens hier, Dot,' fluisterde ze. Het beestje rekte zich uit en kroop slaperig in haar armen. Hanna zuchtte. Misschien kwam het gewoon doordat ze ongesteld moest worden en zou dat onrustige, ongemakkelijke mijn-hele-wereld-stort-in-gevoel over een paar dagen vanzelf verdwijnen.

Ze scheurde de envelop open met haar nagel en fronste haar wenkbrauwen. Het was geen uitnodiging, en ze begreep niet veel van het briefje.

Hanna,
Zelfs pappie houdt niet het allermeest van jou!
-A

Waar sloeg dat nou op? Maar toen ze het bijgesloten vel papier uit de envelop openvouwde, slaakte ze een geschrokken kreetje.

Het was een kleurenprint van de online nieuwsbrief van een privéschool. Hanna keek naar de bekende gezichten op de foto. Het bijschrift luidde: *De toespraak tijdens deze inzamelingsactie werd gehouden door Kate Randall van Barnbury School, hier op de foto met haar moeder, Isabel Randall, en de verloofde van mevrouw Randall, Tom Marin.*

Hanna knipperde snel met haar ogen. Haar vader zag er nog hetzelfde uit als de laatste keer dat ze hem had gezien. En al kreeg ze bijna een hartstilstand toen ze het woord 'verloofde' las – wanneer was dat gebeurd? – was het vooral de aanblik van Kate die haar de kriebels gaf. Ze zag er beter uit dan ooit. Haar huid straalde en haar haar zat perfect. Ze had dolgelukkig haar armen om haar moeder en meneer Marin heen geslagen.

Hanna zou nooit het moment vergeten dat ze Kate voor het eerst zag. Ze was net samen met Ali uit de trein gestapt in Annapolis, en eerst zag Hanna alleen haar vader, die tegen zijn auto geleund stond. Maar toen ging het portier open en stapte Kate uit. Haar lange, kastanjebruine haar was steil en glanzend, en ze had de houding van een meisje dat sinds haar tweede jaar op ballet zat. Hanna's eerste instinct was om weg te duiken achter een pilaar. Ze keek naar haar eigen strakke spijkerbroek en uitgelubberde kasjmierentrui en moest moeite doen om niet te gaan hyperventileren. Daarom is papa bij ons weggegaan, dacht ze. Hij wilde een dochter voor wie hij zich niet hoefde te schamen.

'O, mijn god,' fluisterde Hanna nu, en ze zocht op de envelop naar een afzender. Niks. Ineens bedacht ze iets. De enige die echt iets wist over Kate was Alison. Haar blik ging naar de A op het briefje.

Het tofu-ijs rommelde in haar maag. Ze holde naar de badkamer en pakte de reservetandenborstel uit het bekertje naast de wasbak. Toen ging ze op haar knieën over de wc-pot gebogen zitten en wachtte. Ze kreeg tranen in haar ooghoeken. *Begin hier nou niet weer mee*, hield ze zichzelf voor, en ze kneep hard in de tandenborstel. *Je verdient beter.*

Hanna kwam overeind en keek in de spiegel. Ze had een rood hoofd met wilde pieken rond haar gezicht, en dikke rode ogen. Langzaam zette ze de tandenborstel terug in het bekertje.

'Ik ben Hanna en ik ben fantastisch,' zei ze tegen haar spiegelbeeld.

Maar het klonk niet overtuigend. Totaal niet.

17

EEND, EEND, GANS!

'Oké.' Aria blies haar lange pony uit haar ogen. 'In deze scène moet je met een vergiet op je hoofd staan praten over een baby die we niet hebben.'

Noel fronste zijn voorhoofd en ging met zijn duim naar zijn roze, volle mond. 'Waarom moet ik een vergiet op mijn hoofd zetten, Finland?'

Aria antwoordde: 'Omdat het een absurdistisch stuk is. Dat moet dus, eh... absurd zijn.'

'Aha.' Noel grijnsde. Het was vrijdagochtend en ze zaten in het lokaal van Engels. Na het fiasco rond *Waiting for Godot* van gisteren had Ezra de klas een nieuwe opdracht gegeven: ze werden in groepjes verdeeld die elk een existentialistisch stuk moesten schrijven. Existentialistisch betekende eigenlijk gewoon 'gek en opvallend'. En als er iemand gek en opvallend kon doen, was het Aria wel.

'Ik weet iets heel absurds,' zei Noel. 'We laten een van de personages in een Navigator rijden, weet je wel, en na een paar biertjes de eendenvijver in scheuren, weet je wel. Maar hij is achter het stuur in slaap gevallen, weet je wel, dus hij ziet die hele vijver pas de volgende dag. Dan kunnen er bijvoorbeeld al eenden in de Navigator zitten.'

Aria fronste haar voorhoofd. 'Hoe voeren we dat uit op het toneel? Dat lijkt me onmogelijk.'

'Weet ik veel.' Noel haalde zijn schouders op. 'Maar het is mij vorig jaar overkomen en het was hartstikke absurd. En best wel vet.'

Aria zuchtte. Ze had Noel nou niet bepaald als partner uitgekozen omdat ze dacht dat hij een goede medeauteur zou zijn. Ze keek naar Ezra, maar die stond hen helaas niet groen van jaloezie in de gaten te houden. 'En als we een van de personages nou eens laten denken dat hij een eend ís?' stelde ze voor. 'Dan laten we hem in het wilde weg kwaken.'

'Eh, prima.' Noel schreef het met zijn afgekauwde Montblancpen op een vel lijntjespapier. 'Hé, kunnen we dit niet filmen met de Canon DV-camera van mijn vader? Dan maken we er een film van in plaats van zo'n suf toneelstuk.'

Aria zweeg even. 'Dat zou eigenlijk best cool zijn.'

Noel glimlachte. 'Dan kunnen we de scène met de navigator erin laten!'

'Ja…' Aria vroeg zich af of de familie Kahn een Navigator overhad die in de vijver gedumpt mocht worden. Waarschijnlijk wel.

Noel stootte Mason Byers aan, die met Jim Freed samenwerkte. '*Dude*, wij hebben een Navigator in ons stuk! En pyrotechniek.'

'Wacht even. Pyrotechniek?' vroeg Aria.

'Lachen!' zei Mason.

Aria hield haar lippen stijf op elkaar. Echt, ze had hier de kracht niet voor. Afgelopen nacht had ze amper geslapen. Geplaagd door dat raadselachtige sms'je van gisteren had ze de halve nacht piekerend een paarse muts met oorflappen zitten breien.

Het was een afschuwelijke gedachte dat er iemand was die niet alleen wist van haar en Ezra, maar ook van die toestand met haar vader. Stel je voor dat A dadelijk ook berichtjes naar haar moeder ging sturen! En als A dat al had gedaan, wat dan? Aria wilde niet dat haar moeder erachter zou komen – niet nu, en niet op die manier.

Bovendien kon ze de gedachte niet van zich afzetten dat het sms'je afkomstig was van Alison. Er waren gewoon niet zoveel mensen die het wisten. Misschien een paar faculteitsleden, en Meredith natuurlijk. Maar die kenden Aria niet.

Als het berichtje inderdaad van Alison kwam, betekende dat dat ze nog leefde. Of… niet. Misschien waren de sms'jes wel afkomstig van Ali's geest! Een geest kon zich gemakkelijk schuilhouden tussen de kieren van de damestoiletten van Snookers. En geesten van doden zochten toch wel eens contact met de levenden om het goed te maken? Dat was dan zo'n soort laatste opdracht voordat ze naar de hemel mochten.

Als Ali iets goed te maken had, kon Aria wel iemand verzinnen die er meer recht op had dan zij. Jenna bijvoorbeeld. Ze sloeg haar handen voor haar ogen om de herinnering te verjagen. De therapeuten die zeiden dat je je angsten onder ogen moest komen konden doodvallen; zij probeerde Het Voorval Met Jenna zoveel mogelijk uit te bannen, net als de herinnering aan haar vader en Meredith.

Aria zuchtte. Op dit soort momenten zou ze willen dat ze niet zo vervreemd was van haar oude vriendinnen. Neem nu Hanna, een paar tafeltjes verderop – Aria zou willen dat ze nu naar Hanna toe kon gaan om dit met haar te bespreken en haar het een en ander te vragen over Ali. Maar de tijd veranderde mensen echt. Ze vroeg zich af of het misschien makkelijker zou zijn om met Spencer of Emily te praten.

'Hallo.'

Aria rechtte haar rug. Ezra stond voor haar tafeltje. 'Hoi,' piepte ze.

Toen ze in zijn blauwe ogen keek, voelde ze pijn in haar hart. Ezra stond er onhandig bij. 'Hoe is het met je?'

'Eh… goed. Echt top.' Ze ging nog rechter zitten. In het vliegtuig terug uit IJsland had Aria, in een *Seventeen* die in haar stoelvakje had gezeten, gelezen dat jongens van enthousiaste, positieve meisjes hielden. En aangezien 'intelligent' gisteren niet had gewerkt, kon ze het toch met 'energiek' proberen?

Ezra klikte een paar keer met zijn Bic-pen. 'Het spijt me dat ik je gisteren midden in je verhaal de mond snoerde. Zal ik je aantekenkaartjes bekijken om je alsnog een cijfer te geven?'

'Oké.' Hè? Zou hij dat ook voor de andere leerlingen doen? 'Hoe… gaat het met je?'

'Goed.' Ezra glimlachte. Zijn lippen bewogen even alsof hij nog meer wilde zeggen. 'Wat voor stuk schrijven jullie?' Hij zette zijn handen op haar tafel en boog zich naar voren om in haar schrift te kijken. Aria staarde even naar zijn handen en liet toen haar pink tegen die van hem aan glijden. Ze probeerde te doen alsof het per ongeluk ging, maar hij trok zijn hand niet weg. Het voelde alsof er een elektrisch schokje door hun pinken heen ging.

'Meneer Fitz!' Op de achterste rij stak Devon Arliss zijn vinger op. 'Ik heb een vraag.'

'Ik kom eraan,' zei Ezra, en hij kwam overeind.

Aria stopte de pink waarmee ze die van Ezra had aangeraakt in haar mond. Ze keek nog even naar hem omdat ze dacht dat hij wel zou terugkomen, maar dat deed hij niet.

Dan niet. Terug naar plan J, van jaloers. Ze wendde zich tot Noel. 'Ik vind dat er ook seks in onze film moet zitten.'

Ze zei het heel hard, maar Ezra bleef over Devons tafel gebogen staan.

'Vet,' zei Noel. 'Seks voor de jongen die denkt dat hij een eend is?'

'Ja. En de vrouw zoent als een gans.'

Noel begon te lachen. 'Hoe zoent een gans?'

Aria keek naar Devons bureau. Ezra keek nu hun kant op. Mooi. 'Zo.' Ze boog zich naar Noel toe en gaf hem een klapzoen op zijn wang. Tot haar verbazing rook hij eigenlijk heel lekker. Naar Blue Eagle-scheercrème van Kiehl.

'Hmm,' zei Noel zachtjes.

De rest van de klas was druk bezig en merkte niets van de ganzenkus, maar Ezra, nog altijd bij het tafeltje van Devon, bleef roerloos staan.

'Wist je dat ik vanavond een feest geef?' Noel legde zijn hand op Aria's knie.

'Ja, zoiets had ik al gehoord.'

'Je moet écht wel komen. Er is een hoop bier. En andere dingen… whisky bijvoorbeeld. Hou je van whisky? Mijn vader heeft een hele collectie, dus…'

'Ik ben gek op whisky.' Aria voelde Ezra's ogen in haar rug branden. Toen boog ze zich naar Noel toe en zei: 'Ik kom écht wel naar je feest vanavond.'

Door de manier waarop hij zijn pen op de grond liet vallen, was het niet moeilijk te raden of Ezra het had gehoord.

18

WAAR IS DE OUDE EMILY GEBLEVEN
EN WAT HEB JE MET HAAR GEDAAN?

'Ga je straks naar het feest bij Kahn?' vroeg Carolyn terwijl ze de auto de oprit van de familie Fields opreed.

Emily haalde een kam door haar nog natte haar. 'Ik weet het niet.' Vandaag op de training hadden Ben en zij geen woord gewisseld, en ze wist niet goed wat ze daarvan moest denken. 'Jij?'

'Ik weet niet. Misschien gaan Topher en ik wel gewoon wat eten bij Applebee.'

Typisch Carolyn, om niet te kunnen kiezen tussen een topfeest op vrijdagavond en een suf familierestaurant.

Ze gooiden de portieren van de Volvo dicht en liepen over het stenen pad naar het dertig jaar oude, in koloniale stijl gebouwde huis van de familie Fields. Het was op geen stukken na zo groot of opzichtig als de meeste andere huizen in Rosewood. De blauwgeverfde dakspanen bladderden een beetje en er was hier en daar een steen verdwenen uit het pad naar de voordeur. De tuinmeubelen op de veranda waren nogal uit de tijd.

Hun moeder begroette hen bij de voordeur met een draadloze telefoon in haar hand. 'Emily, ik moet je spreken.'

Emily keek snel naar Carolyn, die haar hoofd liet hangen en naar boven holde. O, jee. 'Wat is er?'

Haar moeder streek over de vouw van haar grijze pantalon. 'Ik had Lauren aan de telefoon, jullie zwemcoach. Ze zei dat je er met je hoofd niet bij bent en dat je je niet op het zwemmen concentreert. En... je bent woensdag niet op de training geweest.'

Emily slikte. 'Ik heb een paar leerlingen bijles Spaans gegeven.'

'Dat zei Carolyn ook. Dus heb ik juffrouw Hernandez gebeld.'

Emily staarde naar haar groene Vans-schoenen. Juffrouw Hernandez was de docente Spaans die de bijlessen regelde.

'Lieg niet tegen me, Emily.' Mevrouw Fields fronste haar wenkbrauwen. 'Waar was je woensdag?'

Emily liep de keuken in en liet zich op een stoel zakken. Haar moeder was een redelijk mens. Dit konden ze best gewoon bespreken.

Ze friemelde aan het zilveren ringetje hoog in haar oorschelp. Jaren geleden had Ali aan Emily gevraagd of ze met haar mee wilde gaan toen ze haar navelpiercing liet zetten, en uiteindelijk hadden ze ook allebei een gaatje in hun oorschelp laten prikken. Emily droeg het zilveren ringetje nog steeds. Na afloop had ze van Ali een paar oorwarmers met luipaardprint gekregen om haar geheime daad te verbergen. Op koude winterdagen droeg ze die nog steeds.

'Goed,' zei ze uiteindelijk. 'Ik was een middagje weg met dat nieuwe meisje, Maya. Ze is heel leuk, we zijn vriendinnen.'

Haar moeder keek niet-begrijpend. 'Waarom ben je niet gewoon iets gaan doen na de training, of op zaterdag?'

'Ik snap niet wat er zo vreselijk aan is. Ik heb één training gemist. Ik zwem dit weekend wel dubbel, dat beloof ik.'

Haar moeder perste haar smalle lippen op elkaar en ging ook zitten. 'Maar Emily... ik begrijp het niet. Toen je je dit jaar opgaf voor het zwemmen, heb je een keuze gemaakt. Je kunt niet zomaar met je vriendinnen op stap gaan als je moet trainen.'

Emily onderbrak haar. 'Toen ik me "opgaf" voor het zwemmen? Alsof ik iets te kiezen had!'

'Wat héb jij toch? Die toon bevalt me niet, en je liegt ook nog tegen me,' zei haar moeder hoofdschuddend. 'Waarom? Je hebt nooit eerder tegen me gelogen.'

'Mám...' Emily wachtte even. Ze werd hier zo moe van. Ze wilde duidelijk maken dat ze wel degelijk eerder had gelogen, vaak genoeg. Ook al was zij de braafste geweest van haar vriendinnengroepje in de brugklas, ze had genoeg dingen gedaan waarvan haar moeder niets wist.

Vlak na de vermissing van Ali was Emily bang geweest dat het... een soort straf was, háár schuld, omdat ze stiekem ongehoorzaam was geweest. Omdat ze dat oorbelletje had genomen. Vanwege Het Voorval Met Jenna. Sindsdien had ze geprobeerd de ideale dochter te zijn en alles te doen wat haar ouders vroegen. Ze had een modeldochter van zichzelf gemaakt, vanbinnen en vanbuiten.

'Ik wil gewoon graag weten wat er met je aan de hand is,' zei haar moeder.

Emily legde haar handen op de placemat en dacht eraan terug hoe ze zo was geworden, een versie van zichzelf die ze niet écht was. Ali was niet verdwenen omdat Emily haar ouders niet gehoorzaamd had – dat besefte ze nu. En net zoals ze zichzelf niet zag zitten op de kriebelbank van Ben, met zijn slijmerige tong in haar hals, zag ze zichzelf de komende twee jaar – en daarna misschien nog vier jaar tijdens haar vervolgstudie – ook niet dagelijks urenlang in het zwembad liggen. Waarom kon Emily niet gewoon... Emily zijn? Kon ze haar tijd niet beter besteden aan haar studie of zomaar – stel je voor! – een beetje lol maken?

'Als je wilt weten wat er met me aan de hand is,' begon ze, en ze streek haar haar uit haar gezicht en haalde diep adem. 'Dan zal ik je dat vertellen. Ik geloof dat ik niet meer wil zwemmen.'

Het rechteroog van mevrouw Fields trok een beetje. Haar mond hing open. Toen draaide ze zich met een ruk om naar de koelkast en staarde naar de vele kippenmagneetjes op de vriezer. Ze sprak geen woord, maar haar schouders schokten. Na een hele tijd draaide ze zich weer om. Haar ogen waren een tikkeltje rood en haar gezicht was helemaal slap, alsof ze in die paar seconden tien jaar ouder was geworden. 'Ik ga je vader bellen. Die zal je wel tot rede brengen.'

'Mijn besluit staat vast.' Pas toen ze het had gezegd, besefte Emily dat dat inderdaad het geval was.

'Nee, dat is niet waar! Jij weet niet wat het beste voor je is.'

'Mam!' Emily kreeg opeens tranen in haar ogen. Het was akelig en triest om haar moeder zo kwaad te zien, maar nu ze een besluit had genomen, voelde ze zich alsof ze eindelijk een dikke donzen jas had mogen uittrekken tijdens een hittegolf.

Haar moeders mond trilde. 'Komt het door die nieuwe vriendin van je?'

Emily kromp ineens en veegde haar neus af. 'Hè? Wie bedoel je?'

Mevrouw Fields zuchtte. 'Dat meisje dat in het huis van DiLaurentis is komen wonen. Zij is toch degene voor wie je van de training hebt gespijbeld? Wat hebben jullie uitgevoerd?'

'We... we zijn gewoon naar de rivier geweest,' fluisterde Emily. 'We hebben gepraat.'

Haar moeder keek naar de grond. 'Ik heb geen goed gevoel over... dat soort meisjes.'

Ho even! Wat? Emily staarde naar haar moeder. Wíst ze het? Maar hoe dan? Haar moeder had Maya niet eens gesproken. Ze kon het toch niet aan haar zíén?

'Maar Maya is heel aardig,' wist Emily uit te brengen. 'Dat moest ik je nog vertellen: ze vond de brownies heerlijk. Ik moest je bedanken.'

Haar moeder perste haar lippen weer op elkaar. 'Ik ben daar geweest, ik wilde een goede buurvrouw zijn. Maar dit... dit gaat te ver. Ze heeft geen goede invloed op je.'

'Maar ik...'

'Alsjeblieft, Emily.'

Emily's woorden bleven in haar keel steken.

Haar moeder zuchtte. 'Er zijn zoveel culturele verschillen tussen jou en... haar... en ik snap sowieso niet wat Maya en jij gemeen hebben. En wat denk je van haar familie? Wie weet wat die allemaal uitspookt.'

'Wacht even, wát zeg je?' Emily staarde haar moeder aan. Maya's familie? Voor zover Emily wist was Maya's vader stedenbouwkundig ingenieur en werkte haar moeder als verpleegkundige. Haar broer zat in het laatste jaar van Rosewood en was veelbelovend tennisser; ze waren een tennisbaan voor hem aan het aanleggen achter het huis. Wat had haar familie hiermee te maken?

'Ik vertrouw die lui gewoon niet,' zei haar moeder. 'Ik weet dat het bekrompen klinkt, maar ik kan er niks aan doen.'

Emily's gedachten kwamen met een ruk tot stilstand. *Haar familie. Culturele verschillen. Die lui?* Ze nam alles wat haar moeder had gezegd nog eens door. Jezus!

Mevrouw Fields bedoelde niet dat Maya lesbisch was. Ze had er moeite mee dat Maya – net als de rest van haar familie – zwárt was.

19

SPICY HOT

Vrijdagavond lag Spencer op haar esdoornhouten bed midden in haar gloednieuwe slaapkamer in de woonschuur naar het schitterende balkenplafond te staren, haar onderrug ingesmeerd met tijgerbalsem. Goh, je zou niet zeggen dat hier vijftig jaar geleden nog koeien stonden. De kamer was gigantisch, met vier enorme ramen en een binnenplaatsje. Gisteravond na het eten had ze al haar dozen en meubels hierheen gesleept. Ze had haar boeken en cd's gerangschikt op schrijver en zanger, de surroundset aangesloten en zelfs haar dvd-recorder vooruit geprogrammeerd om haar nieuwe lievelingsprogramma's op BBC America op te nemen. Het kon niet beter.

Behalve dan natuurlijk die zeurende rugpijn. Haar hele lijf deed zeer, alsof ze was gaan bungeejumpen zonder elastiek. Ze hadden van Ian vijf kilometer moeten hardlopen – in sprinttempo – gevolgd door zware grondoefeningen. Alle meiden hadden besproken wat ze zouden aantrekken naar het feest van Noel vanavond, maar na die helse training bleef Spencer net zo lief thuis om haar wiskundehuiswerk te maken. Vooral nu 'thuis' haar eigen paradijsje in de voormalige schuur was.

Ze pakte het potje tijgerbalsem, maar het bleek leeg te zijn. Langzaam kwam ze overeind, met haar hand op haar rug als een oud vrouwtje. Ze zou in het hoofdgebouw nieuwe moeten gaan halen. Wat geweldig dat ze nu 'het hoofdgebouw' kon zeggen! Het voelde ontzettend volwassen.

Terwijl ze over het lange, heuvelachtige gazon liep, liet ze haar gedachten weer afdwalen naar haar favoriete onderwerp van dat moment: Andrew Campbell. Ja, het was een opluchting dat 'A' Andrew was en niet Ali, en ja, ze voelde zich duizend keer beter en honderdduizend keer minder paranoïde dan gisteren, maar toch... wat een misselijke, bemoeizuchtige spion was het! Hoe durfde hij haar zulke persoonlijke, roddelachtige vragen te stellen in de leeszaal en haar zo'n akelig mailtje te sturen! En iedereen dacht dat hij zo lief en onschuldig was, met zijn keurig geknoopte das en zijn stralende huid; waarschijnlijk was hij zo'n type dat gezichtsreiniger mee naar school nam en zijn huid schoonmaakte na de gymles. Mafkees.

Ze deed de deur van de badkamer achter zich dicht, pakte een potje tijgerbalsem uit de kast, trok haar Nuala Puma-sportbroek naar beneden, draaide zich om om zichzelf te bekijken in de spiegel en begon haar onderrug en hamstrings in te smeren. De stinkende menthollucht vulde meteen de badkamer, en ze deed haar ogen dicht.

De deur vloog open. Spencer probeerde zo snel als ze kon haar broek op te hijsen.

'O, shit!' zei Wren met grote ogen. 'Ik... shit. Sorry.'

'Geeft niet,' zei Spencer, terwijl ze vlug het koordje van de broek vastmaakte.

'Ik moet nog steeds wennen aan dit huis...' Wren droeg zijn blauwe ziekenhuiskleding: een trui met V-hals en een broek met wijde pijpen die in de taille met een koord sloot. Hij zag eruit alsof hij ieder moment in bed wilde kruipen. 'Ik dacht dat dit onze slaapkamer was.'

'Ach, dat gebeurt zo vaak,' zei Spencer, al was dat natuurlijk niet waar.

Wren bleef even in de deuropening staan. Spencer voelde dat hij naar haar keek en bekeek zichzelf snel om na te gaan of haar borst niet half bloot was, of dat er misschien een klodder tijgerbalsem in haar nek zat.

'Hoe, eh... hoe bevalt de woonschuur?' vroeg Wren.

Spencer grijnsde en sloeg toen gauw een hand voor haar mond. Vorig jaar had ze bij de tandarts haar tanden laten bleken en ze waren té wit geworden. Ze moest liters koffie drinken om het effect een beetje af te zwakken. 'Super. En de oude slaapkamer van mijn zus?'

Wren lachte droog. 'Eh, die is nogal... roze.'

'Ja. Met ruches aan de gordijnen,' voegde Spencer eraan toe.

'Ik heb ook een verontrustende cd aangetroffen.'

'O ja? Welke dan?'

'*Phantom of the Opera.*' Hij trok een grimas.

'Maar jij houdt toch van theater?' flapte Spencer eruit.

'Ja, van Shakespeare en zo.' Wren trok een wenkbrauw op. 'Hoe wist je dat?'

Ze trok wit weg. Het zou misschien een beetje raar overkomen als ze Wren vertelde dat ze hem had gegoogled. Ze haalde haar schouders op en leunde tegen het aanrecht. Er schoot een vlammende pijn door haar rug en ze kromp in elkaar.

Wren aarzelde. 'Wat is er?'

'Eh, je weet wel. Weer last van de hockeytraining.'

'Wat heb je deze keer gedaan?'

'Iets verrekt. Kijk, tijgerbalsem.' Met de handdoek in één hand pakte ze het potje, deed een beetje op haar vingers en stak haar hand in haar broek om haar hamstrings in te smeren. Ze kreunde er zachtjes bij; hopelijk klonk het sexy. Goed, ze deed misschien een tíkkeltje theatraal, maar mocht ze alsjeblieft?

'Heb je hulp nodig?'

Spencer aarzelde, maar Wren keek zo bezorgd. En ze verging van de pijn – nou ja, min of meer – als ze haar rug draaide, ook al deed ze dat expres.

'Als je het niet vervelend vindt... graag.'

Spencer duwde de deur dicht met haar voet. Ze smeerde de tijgerbalsem vanaf haar hand over op de zijne. Het was een sexy gevoel, Wrens grote handen helemaal glibberig van de balsem. Toen ze hen beiden in de spiegel zag, huiverde ze even. Ze zagen er samen supercool uit.

'Waar doet het pijn?'

Spencer wees de plek aan. Het was een spier vlak onder haar bil. 'Wacht even,' mompelde ze. Ze griste een handdoek van het rek, sloeg die om zich heen en liet toen onder de handdoek haar broek zakken. Ze wees nog eens aan waar het pijn deed en gaf daarmee aan dat Wren onder de handdoek mocht. 'Maar eh... probeer niet te veel tijgerbalsem op de handdoek te smeren. Ik heb mijn moeder vorig jaar gesmeekt ze speciaal voor mij in Frankrijk te bestellen en ik wil ze niet verpesten. De lucht van dat spul gaat er niet uit in de was.'

Ze hoorde dat Wren een lach onderdrukte en verstarde. Had dat heel truttig en Melissa-achtig geklonken?

Wren veegde met zijn balsemvrije hand een lok haar uit zijn ogen, ging op zijn knieën zitten en begon tijgerbalsem op haar huid te smeren. Zijn handen gleden onder de handdoek en hij wreef trage, voorzichtige cirkels over haar spieren. Spencer ontspande zich en leunde lichtjes tegen hem aan. Hij ging rechtop staan, maar deinsde niet terug. Ze voelde zijn adem op haar schouder, en toen in haar oor. Haar huid gloeide en tintelde.

'Beter?' mompelde Wren.

'Heerlijk.' Misschien had ze het alleen in gedachten gezegd, dat wist ze niet zeker.

Ik zou het gewoon moeten doen, dacht Spencer. *Ik zou hem gewoon moeten kussen.* Hij drukte zijn handen steviger tegen haar rug en zette zijn nagels zachtjes in haar vel. Haar hart bonsde in haar borst.

In de hal ging de telefoon.

'Wren?' riep haar moeder van beneden. 'Ben je boven? Ik heb Melissa voor je aan de lijn!'

Hij vloog achteruit. Spencer schoot naar voren en sloeg de handdoek om zich heen. Wren veegde snel zijn tijgerbalsemhanden af aan een andere handdoek, en Spencer was te paniekerig om er iets van te zeggen. 'Eh…' mompelde hij.

Ze wendde haar blik af. 'Je kunt beter…'

'Ja.'

Hij duwde de deur weer open. 'Ik hoop dat het helpt.'

'Ja, dank je wel,' mompelde ze terug, en ze deed de deur achter hem dicht. Toen leunde ze over de wasbak heen en staarde naar haar spiegelbeeld.

Er bewoog vluchtig iets in de spiegel, en heel even dacht ze dat er iemand bij de douche stond. Maar het was het wapperende douchegordijn maar, meegevoerd door het briesje vanaf het open raam. Spencer draaide zich weer om naar de wasbak.

Ze hadden tijgerbalsem op de wastafel geknoeid. Het zag er

glibberig uit, een beetje als taartglazuur. Spencer schreef er met haar vinger 'Wren' in en tekende er een hartje omheen.

Even overwoog ze om het te laten staan. Maar toen ze Wren de hal door hoorde benen en ze hem hoorde zeggen: 'Hallo, liefje. Ik heb je gemist,' fronste ze haar voorhoofd en veegde de letters met de muis van haar hand weg.

20

GEEF EMILY EEN LICHTSABEL EN EEN ZWARTE HELM

Het begon net te schemeren toen Emily in de groene Jeep Cherokee van Ben stapte. 'Fijn dat je mijn ouders zover hebt gekregen dat de straf pas morgen ingaat.'

'Graag gedaan,' antwoordde Ben. Hij begroette haar niet met een kus en *Fall Out Boy* schalde door de auto, terwijl hij wist dat Emily daar een gruwelijke hekel aan had.

'Ze zijn een beetje pissig op me.'

'Dat heb ik gehoord.' Hij bleef strak naar de weg staren.

Interessant dat Ben niet vroeg waarom. Misschien wist hij het al. Bizar genoeg was haar vader haar kamer in gekomen en had hij gezegd: 'Ben komt je over twintig minuten halen. Zorg dat je klaarstaat.' Tja. Emily had gedacht dat ze nooit meer de deur uit zou mogen nu ze de Zwemgoden had getart, maar ze kreeg de indruk dat haar ouders juist wílden dat ze met Ben uitging. Misschien hoopten ze dat hij haar tot rede zou kunnen brengen.

Emily zuchtte diep. 'Sorry van de training gisteren. Ik ben nogal gespannen de laatste tijd.'

Ben zette eindelijk de muziek zachter. 'Geeft niet. Je bent in de war.'

Emily likte aan haar Labello-lippen. *In de war?* Waarover dan?

'Ik zal het je deze keer vergeven,' ging Ben verder. Hij leunde naar haar toe en gaf een kneepje in haar hand.

Emily zette haar stekels op. Deze keer? En kon hij niet zeggen dat het hem ook speet? Per slot van rekening was hij als een klein kind de kleedkamer in gestormd.

Hij reed door het geopende smeedijzeren hek van de familie Kahn. Het huis lag een heel stuk van de weg, dus hadden ze een oprijlaan van bijna een kilometer, omzoomd door hoge, dikke pijnbomen. Zelfs de lucht rook hier schoner. Het huis van rode baksteen ging schuil achter enorme Dorische zuilen. Er was een zuilengang met een beeld van een paard erop en aan de zijkant lag een schitterende glazen serre. Emily telde veertien ramen over de lengte van de eerste verdieping.

Maar het huis deed er vanavond niet toe. Het feest was buiten, op een weiland dat van de tuin werd gescheiden door hoge heggen in klassiek *British racing green* en een kilometerslange stenen muur. De helft ervan huisvestte de paardenfarm van de familie Kahn; aan de andere kant lag een enorm gazon met een eendenvijver. Het hele terrein werd omringd door dichte bossen.

Toen Ben de auto had geparkeerd op de provisorische parkeerplaats op het gras stapte Emily uit. The Killers schalden uit de achtertuin. Bekende gezichten van Rosewood stapten uit hun Jeeps, Escalades en Saabs. Een groepje onberispelijk geklede meisjes haalde pakjes sigaretten uit hun doorgestikte tasjes met schakelkettinghengsels en begon al rokend in piepkleine mobieltjes te kletsen. Emily keek naar haar eigen afgetrapte blauwe Converse All-Stars en voelde even aan haar slordige pony.

Toen Ben haar had ingehaald liepen ze samen door de heg via een besloten stukje bos naar het feestterrein. Er waren veel mensen die Emily niet kende, maar dat kwam doordat de gebroeders Kahn alle populaire leerlingen van Rosewood én andere privéscholen uitnodigden. Langs de struiken stonden een biertap en een drankentafel, er was een houten dansvloer met snoeren gekleurde lampjes erboven en in het midden van het grasveld stonden tenten. Aan de andere kant, bij de bosrand, stond een ouderwets pasfotohokje met kerstverlichting. Dat sleepte de familie Kahn ieder jaar voor dit feest de kelder uit.

Ze werden begroet door Noel. Hij droeg een grijs T-shirt met de opdruk BETALING IN NATURA, een vaalblauwe spijkerbroek met scheuren en geen schoenen of sokken. 'Wazzup?' Hij gaf ze allebei een biertje.

'Ha, bedankt.' Ben pakte het bekertje aan en nam een slok. Het amberkleurige vocht droop langs zijn kin. 'Leuk feest.'

Iemand tikte Emily op de schouder. Het was Aria Montgomery, in een strak, vaal T-shirt van de Universiteit van IJsland, een rafelig spijkerrokje en rode cowboylaarzen van John Fluevog. Haar zwarte haar zat in een hoog staartje.

'Goh, hallo,' zei Emily. Ze had wel gehoord dat Aria terug was, maar ze had haar nog niet gezien. 'Hoe was het in Europa?'

'Gaaf.' Aria glimlachte. De meisjes keken elkaar een paar tellen aan. Emily aarzelde; ze wilde tegen Aria zeggen dat ze blij was dat die haar nepneuspiercing en de roze plukken in haar haar had afgezworen, maar ze vroeg zich af of het niet gek zou zijn om te verwijzen naar hun voormalige vriendschap. Ze nam een slokje van haar bier en deed alsof ze gefascineerd naar haar bekertje keek.

Aria wipte heen en weer. 'Ik ben blij dat je er bent, ik wil al een tijdje met je praten.'

'O?' Emily keek haar aan en wendde toen haar blik af.

'Ja... met jou of met Spencer.'

'Echt waar?' Emily voelde een druk op haar borst. *Spencer?*

'Je moet me beloven dat je niet zult denken dat ik gek ben. Ik ben zo lang weg geweest, en...' Aria trok een gezicht dat Emily zich nog goed van haar herinnerde. Het betekende dat ze haar woorden zorgvuldig afwoog.

'En wat?' Emily trok afwachtend haar wenkbrauwen op. Misschien wilde Aria een reünie met al haar oude vriendinnen – doordat ze weg was geweest, wist ze natuurlijk niet dat het groepje helemaal uit elkaar gegroeid was. O, wat zou zo'n reünie een ongemakkelijke boel worden!

'Eh...' Aria keek behoedzaam om zich heen. 'Is er nog nieuws geweest over Ali's verdwijning toen ik weg was?'

Emily deinsde achteruit zodra ze Ali's naam uit de mond van haar vroegere vriendin hoorde komen. 'Over haar verdwijning? Hoe bedoel je?'

'Hebben ze bijvoorbeeld ooit nog ontdekt wie haar heeft meegenomen? Is ze niet teruggekomen?'

'Eh... nee...' Emily beet opgelaten op de nagel van haar duim.

Aria boog zich naar Emily toe. 'Denk jij dat ze dood is?'

Emily zette grote ogen op. 'Ik... ik weet het niet. Hoezo?'

Aria's kaak verstrakte. Ze zag eruit alsof ze diep in gedachten verzonken was.

'Wat is er aan de hand?' vroeg Emily met bonzend hart.

'Niks.'

Toen ging Aria's blik naar iemand achter Emily. Haar mond klapte dicht.

'Hoi,' klonk een schorre stem.

Emily draaide zich om. Maya. 'Hoi,' antwoordde ze, en ze liet bijna haar bekertje vallen. 'Ik… ik wist niet dat jij ook kwam.'

'Ik ook niet,' zei Maya. 'Maar mijn broer wilde naar dit feest. Hij loopt hier ergens rond.'

Emily draaide zich om om Aria voor te stellen, maar die was al weg.

'Dus dit is Maya?' Ben was naast haar opgedoken. 'Het meisje dat Emily op het slechte pad heeft gebracht.'

'Het slechte pad?' piepte Emily. 'Welk slechte pad?'

'Stoppen met zwemmen,' antwoordde Ben. Hij zei tegen Maya: 'Je weet toch dat ze gaat stoppen, hè?'

'Echt wáár?' Maya grijnsde enthousiast naar Emily.

Emily wierp Ben een snelle blik toe. 'Dat heeft niets met Maya te maken. En we hoeven dit nu niet te bespreken.'

Ben nam nog een grote slok bier. 'Waarom niet? Het is toch jouw grote nieuws?'

'Ik weet niet…'

'Dan niet.' Hij mepte nogal ruw met zijn grote hand op haar schouder. 'Ik ga nog een biertje halen. Wil je er ook nog een?'

Emily knikte, ook al dronk ze op feestjes normaal gesproken hooguit één biertje. Toen hij wegliep, zag ze hoe los zijn broek om zijn billen hing. Gatver.

Maya pakte Emily's hand en gaf er een kneepje in. 'Hoe voelt dat nou?'

Emily staarde naar hun verstrengelde handen en begon te blozen, maar ze maakte zich niet los. 'Goed.' Of eng. Of op sommige momenten als een slechte film. 'Verwarrend, maar wel fijn.'

'Ik weet hoe we het kunnen vieren,' fluisterde Maya. Ze graaide in haar Manhattan Portage-tas en liet Emily de hals van een fles Jack Daniel's zien. 'Gestolen van de drankentafel. Zin om hem samen met mij soldaat te maken?'

Emily staarde Maya aan. Ze droeg haar haar in een staartje en had een simpel, zwart mouwloos topje en een groene cargobroek aan. Ze zag er sprankelend en vrolijk uit – heel wat beter dan Ben met zijn hangkont.

'Waarom niet,' antwoordde ze, en ze liep achter Maya aan naar het bos toe.

21

LEKKERE MEIDEN – NET ALS WIJ!

Hanna nam een slokje van haar wodka-lime en stak nog een sigaret op. Ze had Sean niet meer gezien sinds ze twee uur geleden zijn auto hadden geparkeerd op het gras bij het huis van de familie Kahn, en zelfs Mona was verdwenen. Nu zat ze opgescheept met Noels beste vriend Jim Freed, en met Zelda Millings – een mooi blond meisje dat alleen kleding en schoenen van hennep droeg – en een kliekje gillende meiden van Doringbell Friends, de ultrahippe school in het stadje verderop. Ze waren vorig jaar ook op Noels feest geweest, en ook al was Hanna toen met ze opgetrokken, ze kon zich van geen van hen de naam herinneren.

Jim drukte zijn Marlboro uit met de hak van zijn Adidas-shelltops en nam een slok bier. 'Ik heb gehoord dat de broer van Noel een hele berg wiet heeft.'

'Eric?' vroeg Zelda. 'Waar is die dan?'

'Bij het fotohokje,' antwoordde Jim.

Ineens kwam Sean tussen de bomen door gerend. Hanna stond op, trok haar hopelijk afslankende BCBG-jurkje recht en maakte de gespjes van haar gloednieuwe, lichtblauwe Christian Louboutin-sandaaltjes vast. Toen ze hen achternaholde, zakte haar hak weg in het drassige gras. Ze maaide met haar armen, liet haar drankje vallen, en voor ze het wist lag ze languit op de grond.

'Die is gevloerd!' riep Jim dronken. De kliek van Doringbell lachte.

Hanna krabbelde snel op; ze moest in haar handpalm knijpen

om niet te gaan huilen. Dit was hét feest van het jaar, maar ze was totaal niet in vorm: haar jurkje knelde rond haar heupen, ze had Sean de hele rit hierheen nog geen glimlachje kunnen ontlokken – ondanks het feit dat hij de BMW 760i van zijn vader voor een avondje had gescoord – en ze zat al aan haar derde calorierijke wodka-lime terwijl het pas halftien was.

Sean stak zijn hand uit om haar overeind te helpen. 'Gaat het?'

Hanna aarzelde. Hij droeg een effen wit T-shirt dat zijn sterk-van-het-voetballen bovenlijf en zijn plat-van-nature buik accentu-eerde, en een donkerblauwe jeans van Paper Denim waarin zijn kont prachtig uitkwam, met afgetrapte zwarte Puma's eronder. Zijn blond-bruine haar zat bewust slordig, zijn bruine ogen waren nog intenser dan anders en zijn roze lippen om te zoenen. Ze had een uurlang toegekeken hoe Sean alleen maar aandacht had voor de jongens op het feest terwijl hij haar duidelijk negeerde.

'Ja, niks aan de hand,' antwoordde ze, met dat typische Hanna-pruilmondje.

'Wat is er dan?'

Ze wiebelde op haar hakken. 'Kunnen we niet... een rustig plekje opzoeken? In het bos misschien? Om te praten.'

Sean haalde zijn schouders op. 'Oké.'

Yes!

Hanna leidde hem over een pad naar het Echte Mannen-bos, waar de bomen lange, donkere schaduwen op hun lichamen wier-pen. De enige keer dat Hanna hier ooit was geweest was in de brugklas, toen haar vriendinnen een geheim afspraakje hadden met Noel Kahn en Jim Freed. Ali had liggen vrijen met Noel, Spencer met Jim en zij had samen met Emily en Aria op een boom-stam zitten roken, chagrijnig en lamlendig, tot Ali en Spencer klaar waren. Vanavond zou het heel anders gaan, nam ze zich voor.

Ze ging in het hoge gras zitten en trok Sean ook op de grond. 'Heb je het naar je zin?' Ze gaf hem haar drankje.

'Ja, cool feest.' Sean nam een slokje. 'Jij?'

Hanna aarzelde. Seans huid glansde in het maanlicht. Er zat een klein moddervlekje op zijn shirt, bij de kraag. 'Hmm, jawel...'

Goed, genoeg gekletst. Hanna pakte het drankje uit Seans hand, greep zijn mooie vierkante kaken beet en begon hem te zoenen. Zo. Het was een beetje jammer dat alles begon te draaien en dat ze in plaats van Seans mond wodka en limoen proefde, maar wat deed het ertoe.

Na een minuutje zoenen voelde ze dat Sean zich terugtrok. Misschien moest ze een tandje bijzetten. Ze trok haar donkerblauwe jurkje omhoog zodat hij haar benen en de piepkleine kanten string van Cosabella kon zien. De boslucht was koud. Er landde een mug op haar bovenbeen.

'Hanna,' zei Sean voorzichtig, terwijl hij haar jurkje weer naar beneden trok. 'Dit is niet mijn...'

Maar hij was niet snel genoeg; Hanna had het jurkje al uitgetrokken. Seans blik gleed over haar figuur. Ongelooflijk genoeg was dit pas de tweede keer dat hij haar in haar ondergoed zag – tenzij je die week in het huis van zijn ouders in Avalon aan zee meetelde, toen ze in bikini had gelopen. Maar dat was heel wat anders.

'Je wilt eigenlijk helemaal niet stoppen, hè?' Ze stak haar hand naar hem uit en hoopte dat ze er opwindend maar niet ordinair uitzag.

'Jawel.' Sean pakte haar hand. 'Dat wil ik wél.'

Hanna bedekte zichzelf zo goed en zo kwaad als het ging met haar jurkje. Waarschijnlijk zat ze al helemaal onder de muggenbulten. Haar lip trilde. 'Maar... ik begrijp het niet. Hou je dan niet van me?' De woorden leken klein en breekbaar uit haar mond te komen.

Het duurde heel lang voordat Sean antwoord gaf. Hanna hoorde even verderop een ander stelletje giechelen. 'Ik weet het niet,' zei hij.

'Jezus!' Hanna rolde bij hem vandaan. De wodka-lime klotste in haar buik. 'Ben je *homo* of zo?' Het kwam er valser uit dan ze had bedoeld.

'Nee!' Sean klonk gekwetst.

'Wat is er dan? Vind je me niet lekker genoeg?'

'Natuurlijk wel!' Het klonk geschokt. Sean dacht even na. 'Je bent een van de mooiste meisjes die ik ken, Hanna. Waarom zie je dat zelf niet in?'

'Waar slaat dat op?' vroeg Hanna vol afkeer.

'Ik...' Begon Sean. 'Ik vind gewoon dat je wel wat meer zelfrespect zou mogen hebben.'

'Ik heb genoeg zelfrespect!' schreeuwde Hanna. Ze ging zitten en kwam op een dennenappel terecht.

Sean stond op. Hij zag er moedeloos en teleurgesteld uit. 'Je zou jezelf eens moeten zien.' Hij liet zijn blik van haar schoenen tot haar kruin gaan. 'Ik probeer je alleen maar te helpen, Hanna. Ik mag je heel graag.'

Hanna voelde de tranen in haar ooghoeken en probeerde ze terug te dringen. Ze zou nu niet gaan huilen. 'Ik heb heus wel respect voor mezelf. Ik wilde je alleen... laten merken wat ik voor je voel.'

'Ik wil gewoon graag kieskeurig zijn als het om seks gaat.' Het klonk niet aardig, maar ook niet gemeen. Eerder... afstandelijk. 'Ik wacht het juiste moment af, met de juiste persoon. En ik geloof niet dat jij dat bent.' Sean deed zuchtend een stap bij haar vandaan. 'Het spijt me.' Toen wrong hij zich tussen de struiken door en verdween.

Hanna was zo beschaamd en woest dat ze geen woord kon uitbrengen. Ze probeerde op te staan om achter Sean aan te gaan, maar haar hak bleef weer vastzitten en ze viel. Met gespreide armen lag ze zo naar de sterren te kijken, en ze hield haar duimen bij haar ogen om de tranen tegen te houden.

'Volgens mij gaat ze zo kotsen.'

Hanna deed één oog open en zag twee jongens uit het eerste jaar – hoogstwaarschijnlijk niet uitgenodigd – over zich heen gebogen staan alsof ze een of ander virtueel computermeisje was dat ze zelf in het leven geroepen hadden.

'Rot op, viespeuken,' zei ze tegen de gluurders terwijl ze opstond. Aan de andere kant van het grasveld zag ze Sean met een gele croquethamer achter Mason Byers aan hollen. Sniffend klopte ze haar kleren af en liep terug naar het feest. Was er dan niemand die iets om haar gaf? Ze dacht aan de brief die ze gisteren had gekregen. *Zelfs pappie houdt niet het allermeest van jou.*

Plotseling zou Hanna willen dat ze het telefoonnummer van haar vader had, en in gedachten ging ze terug naar die dag dat ze met Ali naar hem en Isabel en Kate toe was gegaan.

Hoewel het februari was, was het in Annapolis belachelijk warm geweest, en Hanna, Ali en Kate waren op de veranda gaan zitten in de hoop bruin te worden. Ali en Kate hadden het over hun favoriete kleur MAC-nagellak gehad, en Hanna voelde zich buitengesloten. Dik en onhandig. Ze had Kate heus wel opgelucht zien kijken toen

Ali en zij uit de trein stapten: eerst verbazing over die bloedmooie Ali en toen opluchting bij het zien van Hanna. Het was alsof Kate dacht: nou, over haar hoef ik me niet druk te maken! Ongemerkt had Hanna de hele bak kaaspopcorn die op tafel stond leeggegeten. En een stuk van de brie die voor Isabel en haar vader bedoeld was. Ze had een hand op haar bolle buik gelegd, naar de wasbordjes van Ali en Kate gekeken en onwillekeurig hardop gekreund.

'Voelt ons varkentje zich niet lekker?' vroeg haar vader toen, en had zachtjes in haar kleine teen geknepen.

Hanna huiverde bij de herinnering en voelde even aan haar inmiddels slanke buik. A – wie A ook mocht zijn – had helemaal gelijk: haar vader hield niet het allermeest van háár.

'Allemaal de vijver in!' riep Noel, en Hanna schrok op uit haar gepeins.

Aan de andere kant van het gazon zag ze Sean zijn T-shirt uittrekken en naar het water hollen. Noel, Jim, Mason en een paar andere jongens deden ook hun shirts uit, maar het kon Hanna niets schelen. Dat ze nou uitgerekend vanavond de lekkerste mannen van Rosewood met bloot bovenlijf te zien kreeg...

'Hmm, ze zijn allemaal even smakelijk,' mompelde Felicity McDowell, die naast haar een scheut tequila in een glas Fanta goot. 'Ja, toch?'

'Hm-hm.'

Hanna knarsetandde. Haar vader en zijn ideale bijna-stiefdochter konden doodvallen, en Sean met zijn kieskeurigheid ook! Ze griste een fles wodka van de drankentafel en zette hem aan haar mond. Eerst wilde ze de fles terugzetten, maar op het laatste nippertje besloot ze hem mee te nemen naar de vijver. Sean kon haar niet zomaar ongestraft dumpen, beledigen en vervolgens straal negeren. Mooi niet.

Ze hield stil bij de berg kleren die van niemand anders dan Sean konden zijn: de spijkerbroek was keurig opgevouwen en hij had heel pietluttig zijn witte sokjes opgevouwen en in zijn Puma's gestopt. Toen ze zich ervan had verzekerd dat er niemand keek, frommelde ze de jeans op en liep er achteruit mee bij de vijver vandaan. Wat zou de M-club ervan zeggen als ze hem betrapten terwijl hij in boxershort terug naar huis reed?

Toen ze met Seans spijkerbroek naar de bomen liep, viel er iets op haar voet. Hanna raapte het op en staarde er een tijdje naar, tot haar ogen zich scherp stelden en ze niet langer dubbel zag.

De sleutel van de BMW.

'Móói,' fluisterde ze, terwijl ze over de alarmknop wreef. Toen gooide ze de spijkerbroek op de grond en stopte de autosleutel in haar blauwe Moschino-tas.

Het was een prachtige avond voor een ritje.

22

EEN BIERBAD IS GOED VOOR DE PORIËN

'Kijk nou eens,' fluisterde Maya enthousiast. 'In mijn lievelingscafeetje in Californië stond er ook zo een!'

Emily en Maya staarden naar het ouderwetse pasfotohokje dat op de grens van Noels tuin en het bos stond. Er liep een lang, oranje verlengsnoer over het gras van het hokje naar Noels huis. Terwijl ze het stonden te bewonderen kwam Noels ouders broer Eric samen met een érg uitbundige Mona Vanderwaal achter het gordijntje vandaan. Ze pakten snel hun foto's en gingen ervandoor.

Maya keek even naar Emily. 'Zullen we?'

Emily knikte. Voordat ze het hokje indoken keek ze snel om zich heen. Er stond een groepje bij de tap en een hoop anderen dansten met hun rode plastic bekertjes in de lucht. Noel en nog een stel jongens waren in hun boxershorts in de eendenvijver aan het zwemmen. Ben was nergens te zien.

Emily ging naast Maya op het oranje krukje van het fotohokje zitten en deed het gordijn dicht. Ze zaten zo dicht op elkaar dat hun schouders en bovenbenen elkaar raakten.

'Hier.' Maya gaf haar de fles Jack Daniel's en drukte op de groene startknop. Emily nam een slok en hield triomfantelijk de fles omhoog toen de camera voor het eerst klikte. Toen drukten ze hun gezichten tegen elkaar en grijnsden breed. Voor de derde foto draaide Emily haar ogen helemaal weg, en Maya blies haar wangen bol als een aapje. Ten slotte legde de camera hen vast met tamelijk normale gezichtsuitdrukkingen, al waren ze misschien een tikkeltje nerveus.

'Eens kijken wat het geworden is,' zei Emily.

Maar toen ze wilde opstaan, pakte Maya haar bij haar mouw. 'Zullen we nog even hier blijven? Het is zo'n mooi plekje om je te verstoppen.'

'Eh, goed.' Emily ging weer zitten. Ze slikte hoorbaar, al was dat niet haar bedoeling.

'Hoe is het eigenlijk met je?' vroeg Maya, en ze streek het haar uit Emily's ogen.

Emily zuchtte en probeerde gemakkelijker te gaan zitten op het krappe krukje. *Ik ben in de war en baal van mijn ouders, die waarschijnlijk hartstikke racistisch zijn. Ik ben bang dat ik het verkeerde besluit heb genomen over het zwemmen. En ik vind het eigenlijk doodeng dat ik zo dicht bij je zit.*

'Wel goed,' zei ze na een hele tijd.

Maya snoof en nam een grote slok whisky. 'Ik geloof er niks van.'

Emily zweeg even. Het leek wel of Maya de enige was die haar echt begreep. 'Nee, eigenlijk niet,' zei ze.

'Wat is er dan?'

Maar ineens wilde Emily het niet meer over het zwemmen of Ben of haar ouders hebben. Ze wilde het hebben over... iets heel anders. Iets wat langzaam tot haar doorgedrongen was. Misschien omdat ze Aria had gezien, of omdat ze eindelijk weer een echte vriendin had, waardoor dat gevoel terug was. Emily dacht dat Maya het wel zou begrijpen.

Ze haalde diep adem. 'Weet je nog van Alison, het meisje dat vroeger in jullie huis woonde?'

'Ja.'

'We hadden een heel goede band en ik... eh... was echt gek op haar. Op alles aan haar, zeg maar.'

Ze hoorde Maya uitademen en nam nerveus nog een slok Jack Daniel's uit de fles.

'Ze was mijn beste vriendin,' zei Emily, en ze wreef over de groezelige blauwe stof van het gordijn. 'Ik gaf zó veel om haar, en op een dag heb ik het gedaan, zomaar ineens.'

'Wat heb je gedaan?'

'Ali en ik waren in de boomhut bij haar in de achtertuin. Daar gingen we heel vaak heen om te kletsen. We hadden het over een jongen die ze leuk vond, hij was ouder en ze wilde zijn naam niet zeggen, en ineens hield ik het niet meer. Dus boog ik me naar haar toe... en kuste haar.'

Maya maakte een soort snuivend geluidje.

'Maar ze wilde niet. Ze deed zelfs een beetje afstandelijk en zei zoiets van: "Nou snap ik waarom je altijd zo stil bent als we ons omkleden na de gymles!"'

'Jezus,' zei Maya.

Emily nam nog een slok whisky en voelde zich draaierig. Ze had nog nooit zoveel gedronken. En nu had ze een van haar grootste geheimen tussen de vuile was buiten gehangen, als een grote, ouderwetse onderbroek. 'Ali zei dat hartsvriendinnen niet hoorden te zoenen,' ging ze verder. 'Ik probeerde het af te doen als een grapje, maar toen ik later naar huis ging, drong het tot me door hoe ik er echt over dacht. Dus heb ik haar een brief geschreven om haar te vertellen dat ik verliefd op haar was. Maar ik denk niet dat ze die nog ontvangen heeft. Ze heeft er in ieder geval niets van gezegd.'

Er drupte een traan op Emily's blote knie. Maya zag het en veegde hem weg met haar vinger.

'Ik denk nog heel vaak aan haar.' Emily zuchtte. 'Ik had de herinnering min of meer weggestopt en ik hield mezelf voor dat ze gewoon mijn beste vriendin was, maar verder niks... niks anders. Alleen weet ik dat nu niet meer zo zeker.'

Ze bleven een tijdje zitten. De geluiden van het feest sijpelden door tot in het hokje. Om de paar seconden hoorde Emily wel ergens een Zippo en een sigaret die werd aangestoken. Ze was niet eens zo verbaasd over wat ze net had verteld over Ali. Het was natuurlijk wel eng, maar het was ook wáár. Ergens was het een fijn gevoel om eindelijk te weten hoe het zat.

'Nu we toch aan het opbiechten zijn,' zei Maya zachtjes, 'heb ik jou ook wat te vertellen.'

Ze draaide haar onderarm om en toonde Emily het dikke witte litteken op haar pols. 'Dit had je misschien al gezien?'

'Ja,' fluisterde Emily, en ze kneep haar ogen tot spleetjes in het fletse duister van het fotohokje.

'Dat is van een van de keren dat ik mezelf heb gesneden met een scheermesje. Ik wist niet dat het zo diep zou gaan. O, wat kwam er een hoop bloed uit. Mijn ouders zijn met me naar de spoedeisende hulp gegaan.'

'Snij je jezelf opzettelijk?' fluisterde Emily.

'Eh... ja. Ik bedoel, ik doe het eigenlijk niet meer. Dat probeer ik tenminste.'

'Waarom doe je zoiets?'

'Ik weet het niet. Soms... moet het gewoon. Je mag er wel aan voelen, als je wilt.'

Dat deed Emily. Het litteken was bobbelig en toch glad, heel anders dan gewone huid. Het aanraken ervan kwam haar voor als het intiemste dat ze ooit had gedaan. Ze boog zich naar Maya toe en sloeg haar armen om haar heen.

Maya's lijf schokte. Ze begroef haar gezicht in Emily's hals. Ook nu weer rook ze naar kunstmatige bananengeur. Emily drukte zich tegen Maya's smalle borst aan. Hoe zou het voelen om jezelf te snijden, om jezelf zo te zien bloeden? Emily had ook de nodige bagage, maar zelfs na de vreselijkste gebeurtenissen – zoals die keer dat Ali haar had afgewezen, of Het Voorval Met Jenna – had ze ondanks haar schuldgevoel nooit de behoefte gevoeld om zichzelf pijn te doen.

Maya tilde haar hoofd op en ving Emily's blik. Toen, met een droevig lachje, kuste ze haar op haar mond. Emily knipperde verbaasd met haar ogen.

'Soms zoenen hartsvriendinnen wél met elkaar,' zei Maya. 'Zie je wel?'

Ze gingen allebei een stukje achteruit, maar hun neuzen raakten elkaar nog steeds bijna. Buiten zaagden de krekels erop los.

Toen pakte Maya haar beet. Emily versmolt met haar lippen. Ze hadden allebei hun mond open en ze voelde Maya's zachte tong. Emily's borst kneep samen van opwinding toen ze met haar handen door Maya's stugge haar ging, en daarna naar haar schouders en haar rug. Maya stopte haar handen onder Emily's poloshirt en drukte haar vingers plat tegen haar buik. Emily kromp even in elkaar, verlegen, maar toen ontspande ze zich. Dit was duizend keer fijner dan met Ben zoenen.

Maya's handen gleden over haar hele lijf en over haar beha. Emily deed haar ogen dicht. Maya's mond smaakte heerlijk, naar Jack

Daniel's en zoethout. Nu begon Maya haar borst en schouders te zoenen. Emily legde haar hoofd in haar nek. Iemand had een maan en een heleboel sterren op het plafond van het fotohokje geschilderd.

Ineens ging het gordijn een stukje opzij. Emily sprong op, maar het was al te laat, het was nu helemaal open. 'Nee, hè!' bracht ze moeizaam uit.

'Shit,' zei Maya. De fles Jack Daniel's viel op de grond.

Ben had in iedere hand een bekertje bier. 'Aha, dat verklaart een heleboel.'

'Ben... ik...' Emily krabbelde het hokje uit en stootte haar hoofd tegen de deurstijl.

'Blijf gerust zitten,' zei Ben op een afschuwelijke, sarcastische, kwaad-maar-gekwetste toon die Emily nooit eerder bij hem had gehoord.

'Nee...' riep Emily schril uit. 'Je begrijpt het niet.'

Ze liep nu helemaal het hokje uit. Maya volgde haar. Vanuit haar ooghoek zag Emily dat Maya hun foto's uit de gleuf pakte en ze in haar zak stopte.

'Ik wil het niet horen,' beet Ben haar toe. Toen draaide hij zich om en gooide de inhoud van een van de bekertjes bier naar haar toe. Het klotste lauw over haar benen, schoenen en korte broek. Het bekertje stuiterde wild de bosjes in.

'Ben!' riep Emily.

Ben aarzelde, en toen gooide hij het andere bekertje gerichter naar Maya. Haar gezicht en haren werden drijfnat. Maya gilde.

'Hou op!' riep Emily.

'Stelletje vuile potten,' zei Ben. Ze hoorde de tranen in zijn stem. Toen draaide hij zich om en rende zigzaggend de donkere avond in.

23

IJSLAND-ARIA KRIJGT HAAR ZIN

'Finland! Ik heb je overal lopen zoeken!'

Het was een uur later, en Aria kwam het fotohokje uit. Noel Kahn stond voor haar neus, naakt op zijn Calvin Klein-boxershort na, die nat aan zijn lijf plakte. Hij had een geel plastic bekertje met bier in de ene hand en haar net ontwikkelde strip pasfoto's in de andere. Noel schudde met zijn hoofd, en de druppels uit zijn haar spatten op haar APC-minirokje.

'Hoe kom je zo nat?' vroeg Aria.

'We hebben waterpolo gespeeld.'

Aria keek naar de vijver. De jongens sloegen elkaar op het hoofd met roze buizen van een soort piepschuim. Op de kant zat een groepje meisjes te roddelen, allemaal in vrijwel identieke mini-jurkjes van Alberta Ferrari. Bij de heg, niet ver bij hen vandaan, zag ze haar broer Mike. Bij hem was een klein, tenger meisje dat een ultrakort geruit rokje en plateauzolen droeg.

Noel volgde haar blik. 'Dat is een van de meiden van de Quaker-school,' mompelde hij. 'Die zijn hartstikke gek.'

Mike keek op en zag Aria en Noel samen. Hij knikte goedkeurend.

Noel tikte met zijn duim op Aria's foto's. 'Ze zijn prachtig.'

Aria bekeek ze. Van pure verveling had ze twintig minuten lang foto's van zichzelf zitten nemen in het pasfotohokje. Op de laatste foto's had ze met een broeierige stoeipoezenblik de camera in gekeken.

Diepe zucht. Ze was naar het feest gegaan in de veronderstelling dat Ezra er ook zou zijn, en dat hij haar jaloers en verlangend ergens anders mee naartoe zou nemen. Maar *duh*, hij was docent en de docenten gingen niet naar de feesten van hun leerlingen.

'Noel!' riep Jim vanaf de andere kant van het gazon. 'De tap is leeg!'

'Shit,' zei Noel. Hij gaf Aria een natte zoen op haar wang. 'Dit bier is voor jou. Niet weggaan.'

'Hmm,' zei Aria, en ze keek hem na. Onder het lopen zakte zijn boxershort af en werden zijn bleke billen zichtbaar, gespierd door het hardlopen.

'Hij vindt je echt heel leuk.'

Aria draaide zich om en daar zat Mona Vanderwaal, een meter verderop op de grond. Haar blonde haar hing piekerig rond haar gezicht en haar enorme gouden insectenogen-zonnebril was naar het puntje van haar neus gegleden. Noels oudere broer Eric lag met zijn hoofd in haar schoot.

Mona knipperde met haar ogen. 'Noel is te gek. Hij zou wel eens de droom van je mannen kunnen zijn.'

Eric begon te lachen. 'Wat nou?' Mona boog zich naar hem toe. 'Wat valt er te lachen?'

'Ze is knetterstoned,' zei Eric tegen Aria.

Terwijl Aria zich suf piekerde om iets te bedenken om terug te zeggen, piepte haar telefoon. Ze wurmde hem uit haar zak en keek naar het nummer. Ezra. *O, god! O, god!*

'Eh, hallo?' zei ze zachtjes.

'Hallo. Eh... Aria?'

'Hé, hoi! Alles goed?' Ze probeerde zo beheerst en koel mogelijk te klinken.

'Ik zit thuis een whisky'tje te drinken en aan jou te denken.'

Aria zweeg even, deed haar ogen dicht en voelde een warme gloed door zich heen trekken. 'Echt?'

'Ja. Ben je op het grote feest?'

'Hm-hm.'

'Saai?'

Ze lachte. 'Wel een beetje, ja.'

'Zin om langs te komen?'

'Oké.' Ezra begon uit te leggen hoe ze moest rijden, maar Aria wist waar het was. Ze had zijn adres opgezocht op MapQuest en Google Earth, maar dat kon ze hem moeilijk vertellen.

'Oké,' zei ze. 'Tot zo.'

Zo rustig als ze kon propte ze de telefoon weer in haar zak, en toen sloeg ze met een klap de rubberzolen van haar schoenen tegen elkaar. *Yesssss!*

'Hé, nou weet ik waar ik jou van ken.'

Aria keek op en zag dat Noels broer Eric met samengeknepen ogen naar haar zat te kijken terwijl Mona zijn hals zoende. 'Jij bent toch de vriendin van dat meisje dat verdwenen is?'

Aria keek hem aan en streek haar haar uit haar ogen. 'Ik weet niet waar je het over hebt,' zei ze toen, en ze liep weg.

Rosewood bestond voor een groot deel uit enorme huizen met veel grond en een hek eromheen, of gerenoveerde paardenfarms van twintig hectare, maar vlak bij school waren een heleboel smalle kronkelstraatjes met kinderkopjes waar krakkemikkige victoriaanse huizen stonden. In Old Hollis waren ze geverfd in allerlei drukke kleuren zoals paars, roze en turkoois, en de meeste waren opgesplitst in appartementen die werden verhuurd aan studenten. Aria's familie had vroeger in Old Hollis gewoond, tot ze vijf was en haar vader zijn eerste baan als docent kreeg.

Toen Aria langzaam de straat inreed waar Ezra woonde, zag ze een huis met Griekse letters op de gevel. De bomen hingen vol met toiletpapier. Bij een ander huis stond een half voltooid schilderij op een ezel in de tuin.

Ze stopte voor Ezra's huis. Toen ze de auto had geparkeerd liep ze de stenen trap op en belde aan. De deur zwaaide open, en daar stond hij.

'Wauw,' zei hij. 'Hoi.' Hij grijnsde breed.

'Hoi.' Aria grijnsde op dezelfde manier terug.

Ezra lachte. 'Ik, eh… je bent er. Wauw.'

'Dat had je al gezegd,' zei Aria plagend.

Ze liepen de gang in. Voor haar lag een krakerige trap die met een draai omhoog ging; iedere trede was bekleed met een ander stuk vloerbedekking. Rechts was een deur die op een kier stond. 'Dit is mijn appartement.'

Zodra Aria binnenkwam, zag ze een badkuip op pootjes midden

in Ezra's huiskamer staan. Ze wees ernaar.

'Hij is te zwaar om te verplaatsen,' zei Ezra schaapachtig. 'Dus bewaar ik er maar boeken in.'

'Cool.' Ze keek om zich heen, naar Ezra's gigantische erker-raam, de stoffige ingebouwde boekenkast en de bank van geel fluweel. Het rook er een beetje naar macaroni met kaas, maar er hing een kroonluchter aan het plafond, de open haard was bekleed met een maf mozaïekpatroon en er lagen echte houtblokken in. Dit was veel meer Aria's smaak dan die peperdure eendenvijver en het landhuis met zevenentwintig kamers van de Kahns.

'O, ik zou hier zó willen wonen,' zei Aria.

'Ik kan je niet uit mijn hoofd zetten,' zei Ezra precies op hetzelfde moment.

Aria keek over haar schouder. 'Meen je dat?'

Hij kwam achter haar staan en sloeg zijn armen om haar middel. Aria liet zich tegen hem aan vallen. Zo bleven ze een poosje staan, en toen draaide ze zich om. Ze staarde naar zijn pasgeschoren gezicht, naar de bobbel op zijn neusbrug en de groene spikkeltjes in zijn ogen. Toen ze het moedervlekje op zijn oorlelletje aanraakte, voelde ze hem huiveren.

'Ik... ik kon er niet tegen om je te negeren in de klas,' fluisterde hij. 'Het was een kwelling. Toen je die spreekbeurt gaf...'

'Je hebt vandaag mijn hand aangeraakt,' zei Aria plagend. 'Je keek naar mijn schrift.'

'Jij kuste Noel. Ik was zo jaloers.'

'Dus het heeft gewerkt,' fluisterde Aria.

Ezra zuchtte en sloeg zijn armen om haar heen. Hun monden vonden elkaar en ze zoenden koortsachtig terwijl hun handen over de rug van de ander gleden. Even deden ze allebei een stapje achteruit, en ze keken elkaar ademloos in de ogen.

'Geen woord meer over school,' zei Ezra.

'Afgesproken.'

Hij nam haar mee naar een piepkleine slaapkamer die bezaaid was met kleding, en op het nachtkastje lag een aangebroken zak chips. Ze gingen op zijn bed zitten. Het matras was amper groter dan een eenpersoons, en ook al was de sprei van stugge spijkerstof en lag het matras waarschijnlijk vol chipskruimels, Aria had nog nooit zoiets volmaakts gevoeld.

Aria lag nog op het bed naar de scheur in het plafond te staren. De lantaarnpaal voor het raam wierp lange schaduwen, en haar blote huid kreeg een vreemde roze tint. Een stevig, fris briesje vanaf het open raam blies de sandelhout-geurkaars naast het bed uit. Ze hoorde Ezra de kraan opendraaien in de badkamer.

Wauw. Wauw, wauw, *wauw*!

Ze voelde dat ze lééfde. Ezra en zij waren bijna met elkaar naar bed gegaan, maar ze waren het er vrijwel tegelijkertijd over eens geweest dat ze dat nog even zouden bewaren. Dus waren ze dicht tegen elkaar aan gekropen, naakt, en hadden ze liggen praten. Ezra had haar verteld over de keer dat hij als kind van zes een eekhoorn had geboetseerd, die zijn broertje had platgeslagen. Dat hij veel had geblowd na de scheiding van zijn ouders. Over de keer dat hij de foxterriër van het gezin naar de dierenarts had moeten brengen om hem te laten inslapen. Aria vertelde hem dat ze als kind een blik erwtensoep had gehad dat ze Errie noemde en koesterde als een huisdier, en dat ze had moeten huilen toen haar moeder Errie als avondeten had geserveerd. Ze vertelde hem over haar breiverslaving en beloofde een trui voor hem te breien.

Praten met Ezra ging vanzelf – ze kon zich voorstellen dat ze er nooit meer mee zou stoppen. Ze zouden samen verre reizen kunnen maken. Brazilië, dat zou fantastisch zijn... Slapen in een boom, alleen maar bananen eten en de rest van hun dagen toneelteksten schrijven...

Haar telefoon piepte. Gatver! Waarschijnlijk was het Noel, die zich afvroeg waar ze was gebleven. Ze sloeg haar armen om een van Ezra's kussens heen – hmm, het rook naar hem – en wachtte tot hij uit de badkamer zou komen om haar nog een keer te zoenen.

Weer een piepje. En nog een, en nog een.

'Jezus,' kreunde Aria, en ze leunde met haar blote lijf uit bed om de telefoon uit haar tas te pakken. Zeven nieuwe berichten, en het gepiep ging nog steeds door.

Toen Aria haar inbox opende, fronste ze haar wenkbrauwen. De sms'jes hadden allemaal dezelfde titel: DOCENT-STUDENTBESPREKING! Haar maag draaide zich om toen ze het eerste bericht opende.

```
Aria,
Daar zul je wel hoge cijfers mee scoren!
Liefs, A

P.S.: Wat zou je moeder ervan zeggen als ze ontdek-
te dat je vader een eh… studievriendinnetje had… en
dat jij daarvan wist?!
```

Aria las het volgende bericht, en alle volgende. *Allemaal dezelfde tekst.* Ze liet de telefoon op de grond vallen. Ze moest even gaan zitten.

Nee. Ze moest hier weg.

'Ezra?' Verwilderd keek ze om zich heen door Ezra's ramen. Stond *zij* nu naar haar te kijken? Wat wilde ze van haar? Was *zij* het echt? 'Ezra, ik moet gaan. Iets heel dringends.'

'Hè?' riep hij van achter de badkamerdeur. 'Ga je weg?'

Ze kon het zelf ook bijna niet geloven. Ze sjorde haar shirt over haar hoofd. 'Ik bel je wel, oké? Ik moet iets doen.'

'Wacht even. Wat dan?' vroeg hij, terwijl hij de badkamerdeur opendeed.

Aria griste haar tas mee en vloog de deur uit, de tuin in. Ze moest hier weg. Nu.

24

SPENCERS KAST HERBERGT MEER DAN ALLEEN SCHOENEN EN SPIJKERBROEKEN

'De limiet van x is…' mompelde Spencer voor zich uit. Ze lag op één elleboog geleund op haar bed naar haar gloednieuwe, net met een bruine boodschappenzak gekafte wiskundeboek te staren. Haar onderrug gloeide van de tijgerbalsem.

Ze keek op haar horloge: het was al na middernacht. Was ze gek, dat ze zo lag te stressen over haar huiswerk op de eerste vrijdagavond van het schooljaar? De Spencer van vorig jaar zou in haar Mercedes naar het huis van Kahn geracet zijn, om daar een vat bier leeg te drinken en het aan te leggen met bijvoorbeeld Mason Byers, of een andere knappe jongen die niet moeilijk deed. Maar de Spencer van nu deed dat niet. Zij was de Ster, en de Ster had huiswerk. Morgen ging de Ster met haar moeder de interieurzaken langs om haar woonschuur fatsoenlijk in te richten. Misschien zou ze 's middags zelfs nog met haar vader bij Main Line Bikes langsgaan – hij had haar onder het eten doorgezaagd over een of andere fietsencatalogus en had willen weten welk Orbea-frame ze het mooist vond. Het was de eerste keer dat hij haar om haar mening over fietsen had gevraagd.

Ze hield haar hoofd schuin. Hoorde ze daar een heel zacht, aarzelend klopje op de deur? Ze legde haar rekenliniaal neer en keek uit het grote raam van de schuur. De maan was zilverkleurig en vol, en de ramen van het 'hoofdgebouw' gaven een warme gele gloed af. Weer dat klopje. Ze liep naar de zware houten deur en deed die op een kiertje.

'Hé,' fluisterde Wren. 'Stoor ik?'

'Natuurlijk niet.' Spencer hield de deur verder open. Wren was op blote voeten en droeg een strak wit T-shirt met de opdruk UNIVERSITY OF PENNSYLVANIA MEDICAL en een wijde, kakikleurige korte broek. Ze keek naar haar eigen minishirtje van French Connection, korte grijze joggingbroek van Villanova en blote benen. Haar haar zat in een laag, slordig staartje met losse pieken rond haar gezicht. Het was heel wat anders dan de streepjesblouse van Thomas Pink en de Citizen-jeans die ze overdag droeg. Die look zei: 'Ik ben een sexy vrouw van de wereld,' deze zei: 'Ik zat te studeren... maar ik zie er evengoed sexy uit.'

Goed, misschien had ze er rekening mee gehouden dat dit zou kunnen gebeuren. Maar je kon thuis toch niet gaan rondlopen in een grote onderbroek en een afgedragen T-shirt met een afbeelding van een Perzische kat erop?

'Hoe gaat-ie?' vroeg ze. Een warm briesje blies de puntjes van haar haar omhoog. Een dennenappel viel met een plof uit een boom vlak bij de deur.

Wren bleef in de deuropening staan. 'Moet jij niet op stap? Ik heb gehoord dat er vanavond een enorm tuinfeest is.'

Spencer haalde haar schouders op. 'Geen zin.'

Wren keek haar aan. 'Nee?'

Haar mond voelde alsof er watten in zaten. 'Eh... waar is Melissa?'

'Die slaapt. Te druk bezig geweest met de verbouwing, denk ik. Dus ik dacht: misschien kun jij me een rondleiding geven door die schitterende schuur waar ik níét in kom te wonen. Ik heb hem niet eens gezien!'

Spencer fronste haar voorhoofd. 'Heb je een *housewarming*-cadeau voor me?'

Wren trok wit weg. 'O, ik...'

'Grapje.' Ze hield de deur open. 'Treed binnen in de schuur van Spencer Hastings.'

Ze had een deel van de avond zitten dagdromen over alle mogelijke scenario's wanneer ze alleen zou zijn met Wren, maar het was nog veel heftiger nu hij hier echt voor haar neus stond.

Wren slenterde naar de poster van Tom Yorke en vouwde zijn handen achter zijn hoofd. 'Hou je van Radiohead?'

'Geweldig.'

Wrens gezicht begon te stralen. 'Ik heb ze wel twintig keer gezien in Londen. Elk optreden is weer beter dan het vorige.'

Ze streek haar dekbed glad. 'Mazzelaar. Ik heb ze nooit live gezien.'

'Daar moeten we wat aan doen,' zei hij, en hij leunde tegen haar bank. 'Als ze naar Philadelphia komen, gaan we er samen heen.'

Spencer zweeg even. 'Maar ik geloof niet…' Ze wilde zeggen dat ze niet dacht dat Melissa ze ook goed vond, maar… misschien was Melissa wel niet uitgenodigd.

Ze ging hem voor naar de inloopkast. 'Dit is mijn, eh… kast,' zei ze, en ze stootte zich aan de deurstijl. 'Vroeger werden hier de koeien gemolken.'

'O, ja?'

'Ja. Hier trokken de boeren aan die tepels, of zoiets.'

Hij moest lachen. 'Uiers, bedoel je.'

'O, ja.' Spencer bloosde. Oeps. 'Je hoeft niet uit beleefdheid in de kast te kijken, hoor. Ik bedoel, ik weet dat jongens niet erg veel belangstelling hebben voor kasten.'

'Ho, ho,' zei Wren grinnikend. 'Ik ben helemaal hierheen gekomen, dus nu wil ik ook zien wat er bij Spencer Hastings in de kast ligt.'

'Zoals je wilt.' Ze deed het licht in de kast aan. Het rook er naar leer, mottenballen en Happy van Clinique. Ze had al haar slipjes, beha's, nachthemden en groezelige hockeykleren opgeborgen in uitschuifbare rieten mandjes en haar bloesjes hingen op kleur gerangschikt in keurige rijen.

Wren grinnikte. 'Het lijkt wel een winkel!'

'Ja,' zei Spencer schuchter, en ze streek met haar hand langs haar bloesjes.

'Ik heb nog nooit een kast gezien met een raam erin.' Wren wees naar het open raam tegen de achterste wand. 'Gek eigenlijk.'

'Dat raam zat oorspronkelijk in de schuur,' legde Spencer uit.

'Vind je het soms leuk als mensen je naakt zien?'

'Er hangen jaloezieën voor, hoor.'

'Jammer,' zei Wren zachtjes. 'Je zag er zo mooi uit in de badkamer… Ik had gehoopt je nog een keer… zo… te zien.'

Toen Spencer zich met een ruk omdraaide – wát zei hij? – stond

Wren haar aan te staren. Hij wreef over de zoom van een Joseph-broek aan een van de hangertjes. Ze schoof haar Elsa Peretti-hart-jesring van Tiffany heen en weer over haar vinger en durfde niets te zeggen. Wren deed een stap naar voren, en toen nog een, tot hij pal voor haar stond. Spencer zag de sproetjes op zijn neus. De keurige, welgemanierde Spencer uit een andere wereld zou om hem heen gedoken zijn en hem de rest van de woonschuur hebben laten zien. Maar Wren bleef met zijn grote, schitterende bruine ogen naar haar staren. De Spencer die hier nu stond wreef met haar lippen over elkaar, bang om iets te zeggen, hoewel ze ernaar snakte om... iets te doen.

Dus ze deed iets. Ze sloot haar ogen, hield haar hoofd schuin en kuste hem vol op zijn mond.

Wren aarzelde niet. Hij kuste haar terug, pakte haar bij haar nek en zoende harder. Zijn mond was zacht en smaakte een beetje naar sigaretten.

Spencer leunde in de haag van bloesjes. Wren volgde. Er gleden er een paar van de hangers, maar het kon haar niet schelen.

Ze lieten zich op de zachte vloerbedekking zakken. Spencer schopte haar hockeyschoenen opzij. Wren kwam op haar liggen, zachtjes kreunend. Spencer pakte met haar vuisten zijn afgedragen T-shirt beet en trok het over zijn hoofd. Daarna deed hij haar shirt uit en streelde met zijn voeten haar benen. Ze rolden om, zodat Spencer op hem kwam te liggen. Ze werd overmand door een enorm... ja, wat eigenlijk? Wat het ook was, het was zo hevig dat het niet eens bij haar opkwam om zich schuldig te voelen. Ze wachtte even, nog boven op hem, en ademde zwaar.

Hij pakte haar beet en kuste haar weer: op haar neus en in haar hals. Toen kwam hij half overeind. 'Wacht, ik ben zo terug.'

'Wat ga je doen?'

Hij wees met zijn blik naar de badkamer.

Zodra ze Wren de deur hoorde dichtdoen, liet Spencer haar hoofd op de grond zakken en staarde duizelig naar de kleren in de kast. Toen krabbelde ze overeind om zichzelf kritisch te bekijken in de uitklapspiegel. Haar paardenstaart was losgeraakt en haar haren golfden over haar schouders. Haar blote huid straalde en haar ge-zicht was een beetje rood. Ze grinnikte naar de drie Spencers in de spiegel. Dit was ge-wel-dig!

Toen viel haar blik op de computer. De monitor, pal tegenover de inloopkast, knipperde.

Ze draaide zich om en tuurde er met half dichtgeknepen ogen naar. Zo te zien waren er honderden berichten. Er kwam er net weer een binnen, deze keer met letterformaat 72. Spencer knipperde met haar ogen.

A A A A A A: Wat zei ik nou? Je kunt het niet MAKEN om met de vriend van je zus te zoenen!

Spencer holde naar de computer om het bericht nog een keer te lezen. Toen draaide ze zich om en keek snel naar de badkamer; er kwam een heel dun reepje licht onder de deur door.

A was beslist niet Andrew Campbell.

Toen ze in de brugklas met Ian had gezoend, had ze dat aan Alison verteld, in de hoop dat die haar goede raad zou kunnen geven. Ali had een hele tijd de *French manicure* van haar teennagels bestudeerd en had toen gezegd: 'Je weet dat ik aan jouw kant sta als het om Melissa gaat, maar dit is wat anders. Ik vind dat je het haar moet vertellen.'

'Wát?' had Spencer uitgeroepen. 'Echt niet! Ze vermoordt me.'

'Hoezo, denk je dat Ian nu iets met jou zal beginnen?' vroeg Ali vals.

'Weet ik veel. Waarom niet?'

Ali snoof. 'Als jij het haar niet vertelt, doe ik het misschien wel.'

'Waag het niet!'

'Nou…'

'Als je het Melissa vertelt,' had Spencer na een tijdje met bonkend hart gezegd, 'dan vertel ik iedereen over Het Voorval Met Jenna.'

Ali lachte honend. 'Daar heb jij ook aan meegewerkt. Je bent er net zo schuldig aan als ik.'

Spencer staarde Ali een hele tijd doordringend aan. 'Maar míj heeft niemand gezien.'

Ali wierp Spencer een woeste blik toe – angstaanjagender dan alle andere meiden ooit hadden gezien. 'Je weet dat ik dat probleempje heb opgelost.'

Bij het bewuste logeerpartijtje op de laatste dag van de brugklas, toen Ali in de woonschuur had gezegd dat Ian en Melissa zo'n leuk stel waren, had Spencer beseft dat Ali het wel eens zou kunnen verraden. Maar vreemd genoeg had ze ineens een heel licht, vrij gevoel gekregen. *Ze doet maar*, dacht ze. Het kon haar plotseling niets meer schelen. En ook al klonk het nu afschuwelijk, de waarheid was dat Spencer op dat moment van Ali bevrijd had willen worden.

Nu voelde Spencer zich misselijk worden. Ze hoorde dat het toilet werd doorgespoeld. Wren kwam de badkamer uit en bleef in de deuropening van de kast staan. 'Waar waren we gebleven?' vroeg hij op verleidelijke toon.

Maar Spencers blik was nog op de computer gericht. Er bewoog weer iets – iets roods, een flits. Het leek wel... een weerspiegeling.

'Wat is er?' vroeg Wren.

'Ssst.' Spencer stelde haar ogen scherp. Het was inderdaad een weerspiegeling. Ze draaide zich met een ruk om. Er stond iemand voor het raam.

'Holy shit,' zei ze, en ze hield snel haar T-shirt voor haar blote borsten.

'Wat is er nou?' vroeg Wren.

Spencer deinsde achteruit. Haar keel was droog. 'O...' bracht ze schor uit.

'O,' echode Wren.

Voor het raam stond Melissa, met wild, Medusa-achtig haar en een volkomen uitdrukkingsloos gezicht. Er trilde een sigaret in haar anders zo vaste hand.

'Ik wist niet dat je rookte,' zei Spencer na een hele tijd.

Melissa gaf geen antwoord. Ze nam nog een trekje, gooide de peuk in het bedauwde gras en liep terug naar het huis van hun ouders.

'Ga je mee, Wren?' Melissa wierp een kille blik over haar schouder.

25

DIE STUDENTEN VAN TEGENWOORDIG KUNNEN NIET AUTORIJDEN!

Mona's mond viel open toen ze de hoek om kwam op het gazon voor het huis van Noels ouders. 'Holy shit.'

Hanna leunde uit het raampje van de BMW van Seans vader en grijnsde naar Mona. 'Is-ie mooi of is-ie mooi?'

Mona's ogen schitterden. 'Ik ben sprakeloos.'

Hanna lachte dankbaar en nam een slok uit de fles wodka die ze van de drankentafel had gepikt. Twee minuten geleden had ze Mona via haar telefoon een foto van de BMW gestuurd met het bericht: *Ik sta doorgesmeerd voor de deur. Kom een ritje maken.*

Mona trok het zware portier open en ging op de passagiersstoel zitten. Ze boog zich naar voren en tuurde naar het BMW-logo op het stuur. 'Wat is hij mooi...' Ze volgde met haar pink de blauwe en witte driehoekjes.

Hanna tikte haar hand weg. 'Zijn we lekker stoned?'

Mona hief haar kin en keek naar Hanna's vieze haar, het gekreukelde jurkje en haar betraande gezicht. 'Liep het niet helemaal lekker met Sean?'

Hanna hield haar blik naar beneden gericht en ramde kwaad de sleutel in het contact.

Mona boog zich naar Hanna toe om haar armen om haar heen te slaan. 'O Han, sorry... Wat is er gebeurd?'

'Niks. Laat maar.' Hanna rukte zich los en zette haar zonnebril op – waardoor ze niet al te veel meer zag, maar wat gaf het? – en startte de motor. De auto kwam brullend tot leven en alle lampjes op het dashboard begonnen fel te branden.

'Mooi!' riep Mona. 'Net de lichtjes bij Club Shampoo!'

Hanna ramde de auto in z'n achteruit en reed het hoge gras af. Toen zette ze de versnelling met een ruk in z'n één, trok aan het stuur en weg waren ze. Hanna was te opgefokt om zich er druk om te maken dat de dubbele streep op de weg door haar wazige blik nog eens verdubbeld werd.

'Jieiehaaaa!' riep Mona uit. Ze draaide het raampje open om haar lange blonde haar te laten wapperen. Hanna stak een sigaret op en draaide aan de knoppen van de Sirius-radio tot ze een ouderwetse rap-zender had gevonden waar *Baby Got Back* werd gedraaid. Ze zette de muziek keihard, tot de auto ervan deinde – natúúrlijk zat er de beste basversterker in die maar te koop was.

'Dat is beter,' zei Mona.

'Zeg dat wel.'

Toen Hanna een scherpe bocht iets te krap nam, hoorde ze ergens in haar achterhoofd een *ping*.

Dan hoeft hij je niet meer.

Au.

Zelfs pappie houdt niet het allermeest van jou.

Au, au.

Ach, rot op. Hanna drukte het gaspedaal dieper in en ramde bijna een brievenbus die de vorm van een hond had.

'We moeten ergens heen waar we met die bak kunnen pronken.' Mona legde haar Miu Miu's met hoge hakken op het dashboard, dat daardoor besmeurd werd met gras- en moddervlekken. 'Zullen we naar Wawa gaan? Ik snak naar iets zoets.'

Hanna giechelde en nam nog een slok wodka. 'Dan moet je wel knetterstoned zijn.'

'Als een garnaal!'

Ze parkeerden de auto scheef voor Wawa en zongen keihard '*I like big BUTTS and I cannot lie!*' terwijl ze naar de winkel strompelden. Twee groezelige vrachtwagenchauffeurs, die met enorme bekers koffie in de hand tegen hun wagens geleund stonden, staarden hen met open mond na.

'Mag ik dat petje hebben?' vroeg Mona aan de magerste van de twee, wijzend naar zijn honkbalpet met de opdruk WAWA FARMS. Hij gaf het haar zonder een woord te zeggen.

'Gatver,' fluisterde Hanna. 'Dat ding zit vol bacillen.' Maar Mona had het al opgezet.

Binnen kocht Mona zestien butterscotch-cakejes, een roddelblad en een enorme fles zonnebrandcrème; Hanna hield het bij een lolly van tien cent. Toen Mona even niet keek, stopte ze snel een Snickers en een zak M&M's in haar tas.

'Ik hoor de auto al,' zei Mona dromerig bij het afrekenen. 'Hij gilt naar ons.'

Dat was waar. Hanna had met haar dronken hoofd het alarmknopje op de sleutelhanger ingedrukt. 'Oeps!' zei ze giechelend.

Gierend van de lach holden ze terug naar de auto en stapten in. Bij een stoplicht bleven ze staan, meedeinend met de muziek. Het parkeerterrein voor een grote supermarkt aan de linkerkant van de weg was verlaten, op een paar verdwaalde boodschappenkarretjes na. De neonverlichting brandde doelloos: zelfs het Outback Steakhouse was verlaten.

'De inwoners van Rosewood zijn een stelletje losers.' Hanna gebaarde naar de duisternis.

De snelweg was ook verlaten, dus riep Hanna geschrokken 'Iehhh!' toen er ineens een auto naast hen kwam rijden. Het was een zilverkleurige Porsche met een spitse neus, getint glas en van die enge blauwe koplampen.

'Moet je dat zien,' zei Mona, en er vielen cakekruimels uit haar mond.

Toen ze allebei keken, liet de bestuurder de motor grommen.

'Hij wil een wedstrijdje houden,' fluisterde Mona.

'Gelul.' Hanna kon niet zien wie er in de auto zat; ze zag alleen het roodgloeiende puntje van een sigaret. Een akelig gevoel bekroop haar.

De motor van de auto brulde weer – ongeduldig deze keer – en nu zag ze vaag de contouren van de chauffeur.

Hanna trok een wenkbrauw op naar Mona. Ze voelde zich dronken, opgefokt en volslagen onoverwinnelijk.

'Doen,' fluisterde Mona, en ze trok de klep van de Wawa-pet naar beneden.

Hanna slikte. Het stoplicht sprong op groen. Hanna gaf gas en de auto spoot weg. Vóór haar gromde de Porsche.

'Kom op, watje, laat hem niet winnen!' riep Mona.

Hanna trapte het gaspedaal dieper in en de motor loeide. Ze ging naast de Porsche rijden. Ze reden 130, 145 en toen 160. Zo hard rijden was nog lekkerder dan stelen.

'Blaas hem van de weg!' gilde Mona.

Met bonzend hart gaf Hanna plankgas. Ze kon Mona niet verstaan boven het lawaai van de motor uit. Toen ze de bocht om gingen, stak er een hert over. Het beest dook zomaar uit het niets op.

'Shit!' gilde Hanna. Het hert bleef stokstijf staan. Hanna kneep in het stuur, trapte op de rem en week uit naar rechts. Het hert sprong weg. Snel gaf Hanna een ruk aan het stuur om de auto weer recht te krijgen, maar hij raakte in een slip. De banden kwamen op het grind in de berm terecht en plotseling tolden ze rond.

De auto draaide en draaide, tot ze iets raakten. Het gebeurde allemaal tegelijk: geknars, versplinterend glas... duisternis.

Een fractie van een seconde later was er nog maar één ding te horen in de auto: hevig gesis onder de motorkap.

Heel langzaam tilde Hanna haar hoofd op. Gelukkig, ze was nergens door geraakt. En ze kon haar benen nog bewegen. Ze wurmde zich omhoog door een berg stof vol kreukels met lucht erin: de airbag. Toen keek ze naar Mona. Die trappelde wild met haar lange benen achter de airbag.

Hanna veegde de tranen uit haar ogen. 'Alles goed?'

'Haal dat ding van me af!'

Hanna stapte uit en trok Mona uit de auto. Zo stonden ze samen langs de snelweg, zwaar ademend. Aan de overkant lag het spoor, met het donkere station van Rosewood. Ze konden ver kijken en een heel stuk van de weg zien: geen spoor van de Porsche – of het hert dat ze net niet hadden geraakt. Vóór hen sprong het stoplicht van oranje op rood.

'Jezus, dat was me wat,' zei Mona met trillende stem.

Hanna knikte. 'Mankeer je echt niks?' Ze keek naar de auto.

De hele voorkant was om een telefoonpaal gevouwen. De bumper hing los, half op de grond. Een van de koplampen stond vreemd scheef en de andere knipperde wild. Er kwam een stinkende rook onder de motorkap vandaan.

'Hij zal toch niet ontploffen?' vroeg Mona.

Hanna giechelde. Eigenlijk viel er niets te lachen, maar toch was het grappig.

'We moeten 'm smeren,' zei Mona. 'Vanaf hier kunnen we wel te voet naar huis.'

Hanna onderdrukte nog meer gegiechel. 'O god, Sean kríjgt wat!'

Toen begonnen ze allebei te lachen. Gierend draaide Hanna zich om op de verlaten weg en spreidde haar armen. Het had iets machtigs om midden op een lege vierbaansweg te staan. Het was alsof heel Rosewood van haar was. Het was ook alsof heel Rosewood ronddraaide, maar dat kwam misschien doordat ze nog steeds bezopen was. Ze gooide de sleutelbos naast de auto op de grond. Hij kwam hard op het asfalt terecht en het alarm begon weer te loeien.

Hanna bukte snel om het knopje in te drukken en het alarm uit te schakelen. Het geloei hield op. 'Moet dat nou zo hárd?' klaagde ze.

'Jezus, nou.' Mona zette haar zonnebril weer op. 'Daar moet Seans vader echt eens wat aan laten doen.'

26

DO U LOVE ME? J/N

De staande klok in de hal sloeg negen uur toen Emily zaterdag-morgen zachtjes de trap af sloop en naar de keuken liep. In het weekend stond ze normaal gesproken nooit zo vroeg op, maar van-daag kon ze niet meer slapen.

Er had iemand koffie gezet, en op tafel stond een schaal – met kippetjes bedrukt – met koffiebroodjes. Zo te zien waren haar ou-ders al vertrokken voor hun wat-er-ook-gebeurt-weer-of-geen-weerwandeling, die ze elke zaterdag voor dag en dauw maakten. Als ze hun gebruikelijke twee rondjes door de wijk liepen, kon Emily ongemerkt wegsluipen.

Gisteravond, nadat Ben haar met Maya had betrapt in het foto-hokje, was Emily vertrokken van het feest – zonder afscheid te ne-men van Maya. Ze had Carolyn gebeld – die inderdaad bij Apple-bee had gezeten – en gevraagd of ze haar onmiddellijk kon komen halen. Carolyn en haar vriend Topher waren gekomen zonder vra-gen te stellen, al had haar zus Emily – die naar whisky stonk – wel een strenge, moederlijke blik toegeworpen toen ze op de achterbank ging zitten. Thuis was Emily diep onder haar dekbed gekropen om niet met Carolyn te hoeven praten, en ze was al snel diep in slaap ge-vallen. Maar vanmorgen voelde ze zich beroerder dan ooit.

Ze wist niet wat ze moest denken van wat er op het feest was ge-beurd. Het was allemaal nogal wazig. Ze probeerde zichzelf wijs te maken dat het zoenen met Maya een vergissing was geweest, dat ze het Ben allemaal kon uitleggen en dat het wel goed zou komen.

Maar Emily moest er telkens weer aan denken hoe het had gevoeld. Het was alsof ze… alsof ze vóór gisteravond nog nooit gezoend had.

Maar Emily had niets, maar dan ook helemaal niets *lesbisch*. Ze kocht oliemaskertjes voor haar beschadigde chloorhaar. Er hing een poster van de Australische zwemmer Ian Thorpe aan de muur. Ze giechelde met de meiden uit de zwemploeg om de jongens in hun Speedo-broekjes. Ze had pas één ander meisje gekust, jaren geleden, en dat telde niet. En al telde het wel, het wilde toch niks zeggen?

Ze brak een koffiebroodje doormidden en propte de helft in haar mond. Haar hoofd bonsde. Ze wilde dat alles weer werd zoals vroeger. Een schone handdoek in haar tas stoppen en naar de training gaan, en vrolijk gekke bekken trekken naar iemands digitale camera in de bus op weg naar een uitwedstrijd. Ze wilde weer tevreden over zichzelf zijn, niet zo'n emotionele jojo.

Dit was het dus. Maya was hartstikke leuk, maar ze waren gewoon in de war – en treurig, ieder om haar eigen reden. Maar niet lesbisch. Toch?

Buiten was het uitgestorven. De vogels zongen luid en een hond hield maar niet op met blaffen, maar verder was het stil. De pasbezorgde kranten lagen nog in hun blauwe plastic verpakking te wachten in de voortuinen.

Haar oude rode Trek-mountainbike stond tegen de zijkant van het schuurtje. Emily sjorde hem overeind en hoopte maar dat ze na de whisky van gisteravond fatsoenlijk kon fietsen. Ze reed de weg op, maar het voorwiel maakte een flapperend geluid.

Emily bukte. Er zat iets in het wiel. Een stuk papier uit een schrift was door de spaken geweven. Ze trok het ertussenuit en las een paar regels. Wacht eens, dit was haar eigen handschrift.

… ik vind het fijn om in de klas naar je achterhoofd te kijken, ik vind het geweldig dat je altijd kauwgum kauwt als we met elkaar aan de telefoon zijn, en ik vind het super dat ik weet dat als je onder de les met je Skechers zit te wiebelen terwijl juffrouw Hat over beroemde Amerikaanse rechtszaken vertelt, je dat doet omdat je het dodelijk saai vindt.

Emily's blik schoot heen en weer door de verlaten voortuin. Was dit wat ze dacht dat het was? Nerveus en met droge mond keek ze naar de onderkant van het vel.

... en ik vroeg me telkens af waarom ik je gisteren heb gekust. Tot ik besefte dat het geen grapje was, Ali. Ik geloof dat ik verliefd op je ben. Als je niets meer met me te maken wilt hebben, kan ik dat begrijpen, maar ik moest het je vertellen.
-Em.

Op de achterkant van het papier stond ook iets. Ze draaide het om.

Ik dacht dat je dit misschien wel terug zou willen.
Liefs, A.

Emily liet de fiets op de grond vallen.

Dit was dé brief aan Ali, de brief die Emily haar meteen na de kus had gestuurd. De brief waarvan ze zich had afgevraagd of Ali hem nog had gekregen.

Rustig blijven, hield ze zichzelf voor toen ze besefte dat haar handen trilden. Er is vast een logische verklaring voor.

Maya moest het gedaan hebben. Zij had nu Ali's oude kamer. Emily had Maya gisteravond verteld over Alison en de brief. Misschien gaf ze hem haar nu gewoon terug?

Maar... 'Liefs, A', dat zou Maya nooit schrijven.

Emily wist niet wat ze moest doen of met wie ze moest gaan praten. Opeens dacht ze aan Aria. Er was gisteravond zoveel gebeurd nadat ze haar was tegengekomen, dat ze hun gesprek weer vergeten was. Waarom had Aria van die rare vragen gesteld over Alison? Ze had er... nerveus uitgezien.

Emily ging op de grond zitten en keek nog eens naar de woorden 'Ik dacht dat je dit misschien wel terug zou willen'. Als Emily het zich goed herinnerde, had Aria een spits handschrift dat hier veel op leek.

De laatste dagen voor haar verdwijning had Ali de kus steeds gebruikt om Emily te dwingen alles te doen wat zij wilde. Het was niet bij Emily opgekomen dat Ali het misschien wel aan hun andere vriendinnen had verteld. Maar het zou kunnen...

'Lieverd?'

Emily schrok zich rot. Haar ouders stonden over haar heen gebogen op hun degelijke witte gympen, in korte broeken met hoge taille en kakkerige pastelkleurige golfshirts. Haar vader had een rood heuptasje om en haar moeder zwaaide met de turkooizen gewichtjes die ze om haar armen droeg.

'Hallo,' zei Emily schor.

'Ga je fietsen?' vroeg haar moeder.

'Hm-hm.'

'Je hebt anders wel huisarrest.' Haar vader zette zijn bril op, alsof hij Emily goed moest zien om haar de les te kunnen lezen. 'We hebben je gisteravond alleen naar dat feest laten gaan omdat je met Ben ging. We hoopten dat hij tot je zou kunnen doordringen. Maar fietsen is er niet bij.'

'Dan niet,' kreunde Emily, en ze stond op. Hoefde ze haar ouders maar niet alles uit te leggen. Hoewel... wat maakte het ook uit? Ze wilde het niet eens uitleggen. Nu niet. Dus zwaaide ze haar been over de stang en stapte op de fiets.

'Ik moet ergens naartoe,' mompelde ze, en ze reed de oprit af.

'Emily, kom terug!' riep haar vader kwaad.

Maar voor het eerst in haar leven fietste Emily stug door.

27

LET MAAR NIET OP MIJ,
IK BEN DOOD!

Aria werd wakker van de deurbel. Alleen was het niet de normale galmende gong van haar ouders, maar 'American Idiot' van Green Day. Huh, wanneer hadden haar ouders dat veranderd? Ze sloeg haar dekbed terug, trok de blauwgebloemde klompen met bontvoering aan die ze in Amsterdam had gekocht en kloste de trap af om te kijken wie er aan de deur was.

Toen ze opendeed, hapte ze naar adem. Het was Alison. Ze was langer dan vroeger, haar blonde haar was in laagjes geknipt en haar gezicht was mooier en smaller dan toen ze in de brugklas zaten.

'Tadááá!' Ali spreidde grinnikend haar armen. 'Ik ben er weer!'

'Krijg nou…' Aria kwam niet uit haar woorden en knipperde verwoed met haar ogen. 'Wa-waar heb je gezeten?'

Ali rolde geërgerd met haar ogen. 'Ja, zo stom, mijn ouders…' begon ze. 'Ken je Camille nog, die hele toffe tante van mij die uit Frankrijk komt en die is getrouwd met oom Jeff toen we in de brugklas zaten? Die zomer ben ik bij haar gaan logeren in Miami. Ik vond het daar zo leuk dat ik er gewoon ben gebleven. Ik had het mijn ouders écht wel verteld, maar volgens mij zijn ze gewoon vergeten om het aan iedereen door te geven.'

Aria wreef haar ogen uit. 'Ho, even. Dus je zat in… Miami? En er is niets mis met je?'

Ali maakte een pirouette. 'Zie ik eruit alsof er iets mis met me is? Hé, wat vond je van mijn sms'jes?'

Aria's glimlach verdween. 'Eh… nou, niet zo leuk, eerlijk gezegd.'

Ali keek beledigd. 'Waarom niet? Die ene over je moeder was echt láchen.'

Aria staarde haar aan.

'Wat ben je toch lichtgeraakt.' Ali kneep haar ogen tot spleetjes. 'Laat je me nou weer verdwijnen?'

'Hè? Wat?' stamelde Aria.

Alison staarde Aria indringend aan en toen begon er zwart, glibberig spul uit haar neusgaten te druipen. 'Ik heb het de anderen trouwens verteld, van je vader. Ze weten er alles van.'

'Je… neus…' Aria wees ernaar. Ineens kwam het spul ook uit Ali's ogen. Alsof ze motorolie huilde. En het droop onder haar nagels vandaan.

'O, dat komt doordat ik wegrot.' Ali glimlachte.

Met een ruk zat Aria rechtop in bed. Het zweet stond in haar nek. De zon scheen volop door het raam en ze hoorde in de kamer naast de hare *American Idiot* uit de stereo schallen. Ze keek of er zwarte smurrie aan haar handen zat, maar ze waren brandschoon.

Pfoeh!

'Goedemorgen, lieverd.'

Toen Aria de wenteltrap af kwam stommelen, zat haar vader de *Philadelphia Inquirer* te lezen, gekleed in niets anders dan een dunne ruitjesboxershort en een mouwloos hemd. 'Hallo,' mompelde ze terug.

Toen ze naar het espressoapparaat was geschuifeld, staarde ze een hele tijd naar haar vaders bleke, onregelmatig behaarde schouders. Hij wiebelde met zijn voeten en bromde 'hmmm' naar de krant.

'Pap?' Haar stem brak een beetje.

'Hm-hm?'

Aria leunde tegen het stenen blad van het keukeneiland. 'Kunnen geesten sms'jes sturen?'

Haar vader keek verbaasd en niet-begrijpend op. 'Wat zijn sms'jes?'

Ze stak haar hand in een aangebroken pak ontbijtgranen en graaide er een handjevol uit. 'Laat maar.'

'Zeker weten?' vroeg Byron.

Ze kauwde nerveus. Wat wilde ze nou eigenlijk vragen? *Krijg ik sms'jes van een geest?* Kom op, ze wist wel beter. Trouwens, ze zou niet weten waarom Alisons geest haar dit zou aandoen. Het leek wel of ze wraak wilde, maar zou dat echt kunnen? Ali had heel lief gereageerd, die dag dat ze haar vader hadden betrapt in de auto. Aria was op de vlucht geslagen, de hoek om gerend, en ze was blijven hollen tot ze niet meer kon. Ze was helemaal te voet naar huis gegaan, omdat ze niet wist wat ze anders moest. Thuis had Ali haar armen om haar heen geslagen en haar een hele tijd stevig vastgehouden. 'Ik zal het niemand vertellen,' had ze gefluisterd.

Maar de volgende dag waren de vragen gekomen. *Ken je dat meisje? Gaat je vader het aan je moeder vertellen? Denk je dat hij dit met veel studentes doet?* Normaal gesproken kon Aria best tegen Ali's nieuwsgierigheid en zelfs tegen haar geplaag; ze vond het niet erg om 'de rare' van het groepje te zijn. Maar dit was anders. Dit deed pijn.

Dus had ze Alison de laatste paar schooldagen, vlak voor haar verdwijning, gemeden. Ze had haar geen 'Ik verveel me'-sms'jes gestuurd onder gezondheidsleer en haar niet geholpen haar kastje op school uit te mesten. En ze wilde het al helemaal niet hebben over wat er was gebeurd. Ze was kwaad omdat Ali alles wilde weten, alsof het om een of andere beroemdheid in de *Star* ging en niet om háár. Ze was kwaad omdat Alison het wist. Punt, uit.

En nu, drie jaar later, vroeg Aria zich af op wie ze nou écht kwaad was geweest. Eigenlijk niet op Ali, maar op haar vader.

'Nee echt, laat maar,' zei ze nu tegen hem. Hij zat nog geduldig van zijn koffie te nippen. 'Ik heb gewoon slaap.'

'Goed dan,' antwoordde Byron ongelovig.

De bel ging. Het was niet Green Day, maar gewoon hun normale galmende *dingdong*. Haar vader keek op. 'Ik vraag me af of dat voor Mike is,' zei hij. 'Wist jij dat er gisteravond om halfnegen een meisje van de quakerschool voor hem aan de deur is geweest?'

'Ik doe wel open,' zei ze.

Aarzelend deed ze de voordeur open, maar het was Emily Fields maar. Haar roodblonde haar zat in de war en ze had dikke ogen.

'Hoi,' zei Emily schor.

'Hoi,' antwoordde Aria.

Emily blies haar wangen bol – haar oude zenuwtic. Ze bleef even zo staan en zei toen: 'Ik kan maar beter weer gaan.' Ze wilde al weglopen.

'Wacht even.' Aria pakte haar bij de arm. 'Wat is er? Is er iets?'

Emily zweeg even en zei toen: 'Eh… ja. Ja, maar het klinkt heel raar.'

'Geeft niks.' Aria's hart begon te bonzen.

'Ik heb eens nagedacht over wat je gisteren op het feest zei. Over Ali. En ik vroeg me af… Heeft Ali jullie wel eens iets over mij verteld?'

Emily had het heel zachtjes gevraagd. Aria streek haar haar uit haar ogen.

'Wat bedoel je?' vroeg ze. 'Pas nog?'

Emily zette grote ogen op. 'Wat bedoel je met "pas nog"?'

'Ik…'

'In de brugklas,' viel Emily haar in de rede. 'Heeft ze jullie… zeg maar… iets over mij verteld in de brugklas? Heeft ze het aan iedereen verteld?'

Aria knipperde met haar ogen. Toen ze Emily gisteren op het feest zag, had ze haar dolgraag over de sms'jes willen vertellen. 'Nee,' antwoordde ze nu langzaam. 'Ze praatte nooit achter je rug over je.'

'O.' Emily staarde naar de grond. 'Maar ik…' begon ze.

'Ik krijg steeds…' zei Aria op hetzelfde moment.

Toen keek Emily langs haar heen en haar blik veranderde.

'Ach, Emily Fields! Hallo!'

Aria draaide zich om, en in de huiskamer stond Byron. Gelukkig had hij tenminste een gestreepte badjas aangetrokken. 'Dat is lang geleden!' baste Byron.

'Ja,' Emily blies haar wangen weer bol. 'Hoe gaat het met u, meneer Montgomery?'

Hij fronste zijn voorhoofd. 'Alsjeblieft zeg, je bent nu wel oud genoeg om me Byron te noemen.' Hij krabde met de bovenrand van zijn koffiekopje aan zijn kin. 'En hoe is het met jou? Alles goed?'

'Zeker weten.' Emily keek alsof ze ieder moment in tranen kon uitbarsten.

'Wil je soms iets eten?' vroeg Byron. 'Je ziet eruit alsof je honger hebt.'

'O! Nee, dank u wel. Ik, eh… ik heb gewoon niet zo goed geslapen.'

'Meisjes…' zei hij hoofdschuddend. 'Jullie slapen nooit! Ik zeg altijd tegen Aria dat ze elf uur nachtrust nodig heeft. Ze moet vast slaap opsparen voor als ze straks gaat studeren en hele nachten doorfeest!' Hij liep de trap op.

Zodra hij uit het zicht verdwenen was, draaide Aria zich met een ruk om. 'Hij kan zo…' begon ze, maar toen zag ze dat Emily al halverwege de voortuin was, op weg naar haar fiets. 'Hé!' riep ze. 'Wat ga je doen?'

Emily raapte haar fiets van de grond. 'Ik had niet moeten komen.'

'Wacht! Kom terug! Ik… ik moet met je praten!' riep Aria haar na.

Emily hield even in en keek op. Aria had het gevoel dat de woorden als bijen in haar mond gonsden. Emily zag er doodsbang uit.

Maar ineens durfde Aria het niet meer te vragen. Hoe kon ze over de sms'jes van 'A' beginnen zonder over haar geheim te vertellen? Ze wilde nog steeds niet dat iemand het wist. Vooral niet nu haar moeder thuis was.

Toen dacht ze aan Byron in zijn badjas, en hoe ongemakkelijk Emily zich kennelijk opeens had gevoeld. Emily had gevraagd: *Heeft Alison jullie iets over mij verteld in de brugklas?* Waarom zou ze dat vragen?

Tenzij…

Aria beet op de nagel van haar pink. Stel dat Emily Aria's geheim al wist? Ze klemde als verlamd haar kiezen op elkaar.

Emily schudde haar hoofd. 'Ik zie je nog wel,' mompelde ze, en voordat Aria iets kon bedenken fietste ze als een bezetene weg.

28

BRAD EN ANGELINA HEBBEN ELKAAR TOEVALLIG WEL LEREN KENNEN OP HET POLITIEBUREAU VAN ROSEWOOD

'Dames, ontdek jezelf!'

Terwijl het publiek van Oprah wild applaudisseerde, liet Hanna zich in de koffiebruine leren bank zakken, met de afstandsbediening op haar blote buik. Ze kon wel wat zelfontdekking gebruiken op deze mooie, frisse zaterdagochtend.

Gisteravond was behoorlijk wazig – ze had de hele avond haar lenzen niet in gehad – en haar hoofd bonsde. Was er niet iets met een beest geweest? En ze had snoeppapiertjes in haar tas gevonden. Had ze snoep gegeten? Zo véél? Ze had wel pijn in haar buik, en die leek ook een beetje opgezwollen. En waarom stond haar heel duidelijk een Wawa-vrachtwagen voor de geest? Het was alsof ze met allemaal losse puzzelstukken zat, alleen had Hanna het geduld niet voor legpuzzels; ze ramde altijd stukjes in elkaar die eigenlijk niet pasten.

De bel ging. Hanna liet zich kreunend van de bank rollen en nam niet de moeite haar legergroene ribbeltopje recht te trekken; het zat zo gedraaid dat haar borst er half uithing. Nadat ze de eiken voordeur op een kiertje had opengedaan, sloeg ze hem met een klap weer dicht.

Shit! Het was die agent, Mister April, eh… Darren Wilden.

'Doe open, Hanna.'

Ze gluurde naar hem door het spionnetje. Hij stond daar met zijn armen over elkaar geslagen, heel zakelijk, maar zijn haar zat in de war en ze zag nergens een wapen. En welke politieman werkte er nu om tien uur 's morgens op een wolkeloze zaterdag als deze?

Hanna keek snel even in de ronde spiegel die aan de andere wand hing. Jezus. Slaaprimpels van haar hoofdkussen? Ja. Dikke ogen, lippen die om gloss schreeuwden? Nou en of. Snel wreef ze met haar handen over haar gezicht, deed haar haar in een staartje en zette haar ronde Chanel-zonnebril op. Toen zwaaide ze de deur open.

'Hallo!' zei ze opgewekt. 'Alles goed?'

'Is je moeder thuis?'

'Nee,' antwoordde Hanna flirterig. 'Ze is de hele ochtend weg.'

Wilden perste zijn lippen op elkaar en zag er gestrest uit. Hanna zag dat hij een doorzichtig pleistertje boven zijn wenkbrauw had. 'Zo, heeft je vriendin je geslagen?' vroeg ze, terwijl ze ernaar wees.

'Nee…' Wilden raakte de pleister aan. 'Gestoten aan het medicijnkastje toen ik mijn gezicht wilde wassen.' Hij rolde met zijn ogen. 'Ik ben niet de handigste man op aarde.'

Hanna glimlachte. 'Dat ken ik. Ik ben gisteravond gevallen. Sloeg nergens op.'

Wildens gezicht werd plotseling grimmig. 'Was dat vóór of nádat je die auto hebt gestolen?'

Hanna deed een stapje achteruit. 'Wat?'

Waarom keek Wilden nou naar haar alsof ze de liefdesbaby van een stel ruimtewezens was? 'Er is een anonieme tip binnengekomen dat je een auto gestolen zou hebben.' Hij articuleerde overdreven.

Hanna's mond viel open. 'Dat ik… Hè?'

'Een zwarte BMW. Van de heer Edwin Ackard. Je bent ermee tegen een telefoonpaal gereden. Nadat je een hele fles wodka had leeggedronken. Klinkt dat je bekend in de oren?'

Hanna schoof haar zonnebril omhoog op haar neus. Wacht even, was het zo gegaan? 'Ik heb gisteren niet gedronken,' loog ze.

'We hebben een wodkafles gevonden aan de bestuurderskant van de auto. Dus íemand heeft in de auto gedronken.'

'Maar…' begon Hanna.

'Ik moet je meenemen naar het bureau,' viel Wilden haar in de rede. Het klonk een tikkeltje teleurgesteld.

'Ik heb die auto niet gestolen,' piepte Hanna. 'Sean… zijn zoon… zei dat ik hem mocht lenen!'

Wilden trok een wenkbrauw op. 'Dus je geeft toe dat je erin hebt gereden?'

'Ik…' begon Hanna. Shit. Ze deed een stap terug naar binnen. 'Maar mijn moeder is niet thuis. Straks weet ze niet waar ik ben.' Tot haar grote schaamte kreeg ze tranen in haar ogen. Ze wendde haar gezicht af en probeerde zich een beetje te beheersen.

Wilden schuifelde ongemakkelijk heen en weer. Het leek wel of hij niet wist waar hij met zijn handen moest blijven: eerst stopte hij ze in zijn zakken, toen bleven ze vlak voor Hanna in de lucht hangen en daarna wreef hij ze over elkaar. 'We bellen op het bureau je moeder wel, oké? En je hoeft geen handboeien om. Je mag voorin zitten, naast mij.' Hij liep terug naar zijn auto en hield het portier voor haar open.

Een uur later zat ze in een plastic kuipstoeltje in dezelfde wachtruimte op het politiebureau naar dezelfde poster met gezochte misdadigers te kijken, en het kostte haar grote moeite om niet te gaan huilen. Ze had net een bloedproef moeten ondergaan om aan te tonen of ze nog dronken was van gisteravond. Hanna vroeg zich af of dat het geval was – bleef alcohol eigenlijk lang in je bloed? Nu zat Wilden over datzelfde bureau heen gebogen, met dezelfde Bic-pen naast dezelfde metalen 'Slinky'-spiraal. Ze drukte haar nagels diep in haar handpalm en slikte.

Helaas hadden de gebeurtenissen van de vorige avond zich in haar hoofd opgehoopt tot één klont. De Porsche, het hert, de airbag. Had Sean eigenlijk wel gezegd dat ze de auto mocht lenen? Ze betwijfelde het; het laatste wat ze zich herinnerde was zijn preek over zelfrespect, voordat hij haar in het bos aan haar lot had overgelaten.

'Hé, was jij gisteren niet bij het bandjesfestival in Swathmore?'

Er kwam een jongen naast haar zitten die iets ouder was dan zij, met kortgeschoren haar en één grote, doorlopende borstelige wenkbrauw. Hij droeg een gescheurd flanellen surfershemd op een spijkerbroek vol verfvlekken en hij had geen schoenen aan. Zijn handen waren geboeid.

'Eh, nee,' mompelde Hanna.

Toen hij zich naar haar toe boog, kon ze zijn bieradem ruiken.

'O, ik dacht dat ik je daar had gezien. Ik was er namelijk wél, en ik heb zoveel gedronken dat ik blijkbaar een paar koeien lastiggevallen heb. Daarvoor zit ik hier! Ik heb me op verboden terrein begeven.'

'Heel goed gedaan,' antwoordde ze koel.

'Hoe heet je?' Hij rammelde met zijn handboeien.

'Eh... Angelina.' Ze ging hem dus mooi niet haar eigen naam geven.

'Hé Angelina!' zei hij. 'Ik ben Brad.'

Dat was zo flauw dat Hanna er wel weer om moest lachen.

Precies op dat moment ging de toegangsdeur van het politiebureau open. Hanna maakte zich zo klein mogelijk in het kuipstoeltje en duwde haar zonnebril omhoog. Ja hoor, fijn. Haar moeder.

'Ik ben meteen gekomen,' zei mevrouw Marin tegen Wilden.

Ze droeg die ochtend een eenvoudig wit T-shirt met boothals, een heupjeans van James, Gucci-slingbacks en precies dezelfde Chanel-zonnebril als Hanna. Haar huid straalde – ze had de hele morgen bij de schoonheidsspecialiste gezeten – en haar roodgouden haar zat in een eenvoudig staartje. Hanna kneep haar ogen tot spleetjes. Had haar moeder haar beha opgevuld? Het leek wel of haar borsten bij iemand anders hoorden.

'Ik praat wel met haar,' zei mevrouw Marin zachtjes tegen Wilden. Toen kwam ze naar Hanna toe. Ze rook naar het zeewier waarmee je bij de schoonheidssalon werd ingesmeerd. Hanna, die zeker wist dat ze naar wodka en suikerwafels rook, maakte zich klein in haar stoel.

'Sorry,' piepte ze.

'Hebben ze je bloed afgenomen?' fluisterde haar moeder.

Ze knikte zielig.

'Wat heb je gezegd?'

'N-niks,' stamelde Hanna.

Mevrouw Marin vouwde haar tot in de puntjes verzorgde handen ineen. 'Oké, laat dit maar aan mij over. Gewoon niks zeggen.'

'Wat ga je dan doen?' fluisterde Hanna. 'De vader van Sean bellen?'

'Ik zei: laat het maar aan mij over, Hanna.'

Haar moeder stond op uit het plastic kuipstoeltje en boog zich over Wildens bureau. Hanna rommelde in haar tas op zoek naar

haar noodvoorraad kersenzuurtjes. Ze zou er maar een paar nemen, niet de hele zak. Hij moest hier ergens zitten.
Toen ze de zuurtjes had gevonden, voelde ze haar BlackBerry trillen. Hanna aarzelde. Stel je voor dat het Sean was om haar via de voicemail uit te kafferen. Misschien was het Mona. Waar hing Mona verdomme uit? Hadden ze haar gewoon naar dat golftoernooi laten gaan? Ze had de auto dan wel niet gestolen, ze was er wel in meegereden. Dat mocht toch ook niet?
Er waren een paar telefoontjes binnengekomen op haar Black-Berry. Sean... zes keer. Mona twee keer, om acht uur en om drie over acht. Er waren ook een paar nieuwe sms'jes: een aantal van mensen die gisteren op het feest waren geweest, allemaal los van elkaar, en een van een onbekend mobiel nummer. Ze kreeg een knoop in haar maag.

Hanna, weet je nog, de tandenborstel van Kate? Dacht
ik al! –A

Hanna knipperde met haar ogen. Ze voelde het koude, klamme zweet uitbreken in haar nek. Ze werd draaierig. *De tandenborstel van Kate?* 'Ja, dag,' zei ze zwakjes, en ze probeerde erom te lachen. Toen ze naar haar moeder keek, stond die nog over Wildens bureau geleund te praten.
In Annapolis, nadat haar vader haar min of meer voor dik varken had uitgemaakt, was Hanna van tafel gevlogen en naar boven gerend. Daar was ze de badkamer in gevlucht en op de wc gaan zitten.
Ze had diep ademgehaald en geprobeerd tot bedaren te komen. Waarom kon zij niet mooi, elegant en volmaakt zijn, net als Ali en Kate? Waarom moest zij zijn zoals ze was, klein en dik, onhandig en waardeloos? En ze wist niet op wie ze het kwaadst was, op haar vader, Kate, zichzelf of... Alison.
Terwijl Hanna haar warme woedetranen verbeet zag ze aan de muur tegenover de toiletpot drie ingelijste foto's hangen. Het waren alledrie close-ups van ogen. De samengeknepen oogjes met de expressieve blik van haar vader herkende ze meteen. En daar had je die van Isabel: klein en amandelvormig. Het derde paar ogen was groot en betoverend en had zo uit een reclame voor Chanel-masca-

ra kunnen komen. Het waren duidelijk de ogen van Kate.

Ze keken allemaal naar haar.

Hanna staarde naar haar spiegelbeeld. Binnen werd hard gelachen. Haar maag barstte bijna van alle popcorn die iedereen haar had zien eten. Ze was kotsmisselijk en wilde het kwijt, maar toen ze boven de wc-pot ging hangen, gebeurde er niks. De tranen liepen over haar wangen. Toen ze een tissue wilde pakken, zag ze een groene tandenborstel in een porseleinen bekertje staan. Die bracht haar op een idee.

Het kostte haar tien minuten voor ze genoeg moed had verzameld om hem in haar keel te steken, en zodra ze het had gedaan voelde ze zich nog rotter – maar ook beter. Ze begon nog harder te huilen, maar tegelijk wilde ze het nog een keer doen. Toen ze de tandenborstel weer in haar mond stak, vloog de badkamerdeur open.

Het was Alison. Haar blik ging naar Hanna, die op haar knieën voor de wc zat met een tandenborstel in haar keel. 'Hooo!' zei ze.

'Ga alsjeblieft weg,' fluisterde Hanna.

Alison kwam de badkamer in. 'Wil je erover praten?'

Hanna keek haar wanhopig aan. 'Doe op z'n minst die deur dicht.'

Ali deed de deur dicht en ging op de rand van het bad zitten. 'Hoe lang doe je dit al?'

Hanna's onderlip trilde. 'Wat?'

Ali zweeg even en keek naar de tandenborstel. Ze zette grote ogen op. Hanna keek er nu ook naar. Het was haar niet eerder opgevallen, maar er stond met witte letters KATE op.

Op het politiebureau rinkelde een telefoon en Hanna kromp in elkaar. *Weet je nog, de tandenborstel van Kate?* Er was misschien best iemand die op de hoogte was van Hanna's eetprobleem, of iemand die haar het politiebureau binnen had zien gaan, of zelfs iemand die wist van Kate. Maar de *tandenborstel?* Er was maar één iemand die dat wist.

Hanna maakte zichzelf graag wijs dat als Ali nog leefde, ze haar nu geweldig zou vinden. Haar leven was immers perfect. Zo zag ze het telkens voor zich: Ali zou onder de indruk zijn van haar spijkerbroek in dat piepkleine maatje en haar Chanel-lipgloss. Ali zou Hanna feliciteren met het perfecte feest dat ze thuis aan het zwembad had gegeven.

Met trillende vingers toetste ze in: *Ben jij dit, Alison?*

'Wilden!' riep een agent. 'We hebben je achter nodig.'

Hanna keek op. Darren Wilden stond op van zijn bureau en verontschuldigde zich bij haar moeder. Binnen een paar tellen was het politiebureau een en al bedrijvigheid. Een surveillancewagen racete het parkeerterrein af, gevold door drie andere. De telefoon stond roodgloeiend en vier agenten sprintten het vertrek door.

'Er is iets dringends aan de hand,' zei Brad, de dronken koeienlastigvaller die naast haar zat. Hanna kromp ineen; ze was vergeten dat hij daar zat.

'Misschien zijn de donuts op?' zei ze, in een poging erom te lachen.

'Nee, erger.' Hij rammelde enthousiast met zijn handboeien. 'Volgens mij is het iets héél dringends.'

29

GOEDEMORGEN, WE HATEN JE

De zon stroomde binnen door het raam van de woonschuur, en voor het eerst in haar leven werd Spencer wakker van het opgewekte getjirp van musjes en niet van de angstaanjagende jaren-negentig-technomix die haar vader keihard had opstaan in de fitnessruimte onder het huis. Maar kon ze ervan genieten? Helaas niet.

Ook al had ze gisteravond geen druppel gedronken, haar hele lijf deed zeer, ze had het koud en het was alsof ze een kater had. Ze had geen oog dichtgedaan. Na het vertrek van Wren had ze nog geprobeerd te gaan slapen, maar haar hoofd tolde. Zoals hij haar had vastgehouden, het voelde zo... anders. Zo had Spencer zich nog nooit gevoeld.

Maar toen dat msn-bericht. En het griezelig kalme gezicht van Melissa. En...

Naarmate de nacht vorderde begon de woonschuur te kraken en te zuchten, en Spencer had bibberend haar dekbed tot aan haar kin opgetrokken. Ze vond het verschrikkelijk van zichzelf dat ze zo paranoïde en onvolwassen deed, maar ze kon er niks aan doen. Ze moest steeds denken aan wat er allemaal zou kunnen gebeuren.

Uiteindelijk was ze maar opgestaan en had ze haar computer opnieuw opgestart. Een paar uur had ze op internet zitten zoeken. Eerst op technische websites, om uit te vinden hoe je msn's kon natrekken. Niks. Toen had ze geprobeerd te achterhalen waar het eerste mailtje – over 'begeren' – vandaan was gekomen. Ze wilde niets liever dan dat het spoor zou uitkomen bij Andrew Campbell.

Ze ontdekte dat Andrew een weblog had, maar toen ze dat helemaal doorspitte, had ze niets bruikbaars gevonden. Hij schreef over de boeken die hij graag las, en verder alleen maar suffe jongensfilosofieën en een paar melancholieke stukjes over zijn onbeantwoorde liefde voor een meisje van wie de naam onvermeld bleef. Ze had gedacht dat hij zichzelf misschien wel zou verraden, maar nee.

Tot slot had ze de woorden 'vermist' en 'Alison DiLaurentis' ingetoetst.

Ze was uitgekomen bij dezelfde berichten van drie jaar geleden: de verslagen van cnn en in de *Philadelphia Inquirer*, zoekacties en een paar heel maffe sites, zoals die ene waarop werd aangetoond hoe Ali er met verschillende kapsels zou kunnen uitzien. Spencer staarde naar de schoolfoto die ze hadden gebruikt; ze had al heel lang geen foto van Ali meer gezien. Zou ze Ali herkennen met bijvoorbeeld een kort zwart bobkapsel? Op de foto die erbij stond zag Alison er in ieder geval totaal anders uit.

De achterdeur van het huis van haar ouders piepte toen ze nerveus naar binnen sloop. Binnen rook ze verse koffie en dat was vreemd, want haar moeder was normaal gesproken rond deze tijd al in de stallen en haar vader was meestal paardrijden of stond op de golfbaan. Ze vroeg zich af hoe het tussen Melissa en Wren was gegaan na gisteravond, en ze deed een schietgebedje om die twee niet onder ogen te hoeven komen.

'We zaten al op je te wachten.'

Spencer schrok zich rot. Aan de keukentafel zat Melissa met hun ouders. Haar moeder was bleek en zag er vermoeid uit, en haar vaders wangen waren vuurrood. Melissa had roodomrande, dikke ogen. Zelfs de twee honden sprongen niet, zoals anders, tegen haar op om haar te begroeten.

Spencer slikte. Dat schietgebedje had dus niet geholpen.

'Ga alsjeblieft zitten,' zei haar vader zachtjes.

Spencer trok met een schrapend geluid een houten stoel naar achteren en ging naast haar moeder zitten. Het was zo stil in de keuken dat ze haar eigen maag nerveus hoorde rommelen.

'Ik weet niet wat ik moet zeggen,' zei haar moeder schor. 'Hoe kón je?'

Spencer kreeg een knoop in haar maag. Ze deed haar mond

open om iets te zeggen, maar haar moeder stak een hand op. 'Je hebt geen enkel recht van spreken.'

Spencer klemde haar kaken op elkaar en sloeg haar ogen neer.

'Serieus,' zei haar vader, 'op dit moment schaam ik me dood dat je mijn dochter bent. Ik dacht dat we je beter opgevoed hadden.' Spencer pulkte aan een los velletje bij haar duimnagel en probeerde haar trillende kin stil te houden.

'Hoe haal je het in je hoofd?' vroeg haar moeder. 'Hij was haar vríénd! Ze zouden gaan samenwonen. Besef je wel wat je hebt aangericht?'

'Ik...' begon Spencer.

'Ik bedoel...' viel haar moeder haar in de rede, waarna ze handenwringend haar ogen afwendde.

'Je bent minderjarig, wat betekent dat we wettelijk verantwoordelijk voor je zijn,' zei haar vader. 'Maar als het aan mij lag, zette ik je onmiddellijk op straat.'

'Ik wou dat ik je nooit meer hoefde te zien,' snauwde Melissa.

Spencer voelde zich slap. Ze verwachtte bijna dat ze hun koffiekopjes zouden neerzetten en zouden zeggen dat het een grapje was, dat er niets aan de hand was. Maar ze keken haar niet eens aan! De woorden van haar vader brandden in haar oren: *ik schaam me dood dat je mijn dochter bent.* Zoiets had nog nooit iemand tegen haar gezegd.

'Eén ding is zeker: Melissa gaat in de schuur wonen,' ging haar moeder verder. 'Jij zet al je spullen terug in je oude slaapkamer. En als haar eigen huis straks klaar is, maak ik van de schuur een pottenbakkersatelier.'

Spencer balde onder de tafel haar vuisten om de tranen tegen te houden. De woonschuur kon haar niet schelen, niet echt. Het ging om alles wat erbij hoorde. Haar vader zou planken voor haar ophangen. Haar moeder zou meehelpen nieuwe gordijnen uit te zoeken. Ze hadden beloofd dat ze een jong poesje kreeg, en samen hadden ze al allerlei grappige namen bedacht. Ze waren blij voor haar geweest. Hadden zich iets van haar aangetrokken.

Ze pakte haar moeder bij de arm. 'Het spijt me...'

Haar moeder schoof bij haar vandaan. 'Spencer, laat dat.'

Nu kon ze zich niet meer inhouden. De tranen stroomden over haar wangen.

'Trouwens, met je excuses moet je niet bij mij zijn,' zei haar moeder zacht.

Spencer keek naar Melissa, die sniffend tegenover haar aan tafel zat. Ze snoot haar neus. Ook al had ze nog zo de pest aan Melissa, Spencer had haar zus nog nooit zo verdrietig gezien – behalve die keer dat Ian het had uitgemaakt op de middelbare school. Het was niet goed te praten dat Spencer met Wren had geflirt, maar ze had nooit gedacht dat het zo uit de hand zou lopen. Ze probeerde zich in Melissa's positie te verplaatsen; als Wren háár vriendje was geweest en Melissa had met hem gezoend, zou ze dat ook verschrikkelijk hebben gevonden. Haar hart werd milder. 'Het spijt me,' fluisterde ze.

Melissa huiverde. 'Val dood,' beet ze haar toe.

Spencer beet zo hard op de binnenkant van haar wangen dat ze bloed proefde.

'Ga je spullen uit de schuur halen.' Haar moeder zuchtte. 'En verdwijn dan uit onze ogen.'

Spencer zette grote schrikogen op. 'Maar...' piepte ze.

Haar vader wierp haar een vernietigende blik toe.

'Het is zo verwerpelijk,' mompelde haar moeder.

'Je bent een bitch,' deed Melissa een duit in het zakje.

Spencer knikte. Misschien zouden ze ophouden als ze hun gelijk gaf. Ze was het liefst gekrompen tot een klein balletje en in rook opgegaan. Maar in plaats daarvan stamelde ze: 'Dan ga ik maar.'

'Mooi zo.' Haar vader nam nog een slok koffie en stond op van tafel.

Melissa slaakte nog een jammerkreetje en schoof haar stoel naar achteren. Ze snikte de hele weg op de trap naar boven en gooide met een klap haar slaapkamerdeur dicht.

'Wren is gisteravond vertrokken,' zei meneer Hastings, die nog even in de deuropening bleef staan. 'Van hem zullen we niets meer horen, nooit meer. En als jij weet wat het beste voor je is, begin je er ook nooit meer over.'

'Nee, natuurlijk niet,' mompelde Spencer, en ze legde haar hoofd op de koele eikenhouten tafel.

'Mooi.'

Spencer liet haar hoofd op de tafel liggen, deed haar yoga-ademhaling en wachtte tot er iemand terugkwam om te zeggen dat het allemaal wel goed zou komen. Maar er kwam niemand. Buiten hoorde ze ergens in de verte een ambulance. Het leek wel of het geluid dichterbij kwam.

Spencer ging met een ruk rechtop zitten. O, god! Stel je voor dat Melissa zichzelf... iets had aangedaan. Dat zou ze toch niet doen? De gillende sirene kwam dichterbij. Spencer schoof haar stoel naar achteren.

Holy shit. Wat had ze gedaan?

'Melissa!' Ze rende de trap op.

'Vuile hoer!' klonk een stem. 'Je bent een vuile hoer!'

Spencer liet zich tegen de trapleuning zakken. Oké. Kennelijk was er met Melissa niks aan de hand.

30

HET CIRCUS IS WEER IN DE STAD

Emily fietste als een gek bij het huis van Aria vandaan en reed bijna een jogger aan die in de berm liep. 'Kijk een beetje uit!' riep hij haar na.

Toen ze een buurman passeerde die zijn twee gigantische Deense doggen uitliet, nam Emily een besluit. Ze moest naar Maya toe. Er zat niets anders op. Misschien had Maya het lief bedoeld, had ze het briefje gewoon aan Emily willen teruggeven nadat die haar de vorige avond over Alison had verteld. Misschien had Maya gisteren al over de brief willen beginnen, maar had ze dat om wat voor reden dan ook niet gedaan. Misschien moest die A eigenlijk een M zijn?

Trouwens, Maya en zij hadden sowieso een hoop te bespreken, nog los van de brief. Wat dacht je bijvoorbeeld van datgene wat er op het feest was gebeurd? Emily sloot haar ogen en dacht eraan terug. Ze rook bijna Maya's bananenkauwgum; voelde bijna de zachte omtrek van haar mond. Toen ze haar ogen opendeed, zwiepte ze bij het trottoir vandaan.

Ja, daar moesten ze het echt over hebben. Maar wat wilde Emily eigenlijk zeggen?

Ik vond het heerlijk.

Nee, natuurlijk zou ze dat niet zeggen. Ze zou zeggen: we moeten gewoon vriendinnen blijven, meer niet. Per slot van rekening ging zij terug naar Ben. Als hij haar nog wilde, tenminste. Ze wilde de tijd terugdraaien, weer de Emily worden die tevreden was met haar leven, de Emily met wie haar ouders blij waren. De Emily die zich alleen druk maakte om haar borstcrawl en haar algebrahuiswerk. Ze fietste langs Myer Park, waar ze vroeger urenlang had geschommeld met Ali. Ze probeerden altijd gelijk op te gaan, en als dat gelukt was riep Ali uit: 'We zijn getrouwd!' En dan sprongen ze met een gilletje precies tegelijk van de schommel.

Maar als Maya die brief nu eens niet aan haar fiets had gehangen? Toen Emily aan Aria had gevraagd of Ali haar geheim had doorverteld, had Aria geantwoord: 'Wat bedoel je, pas nog?' Waarom zou ze zoiets zeggen? Tenzij... tenzij Aria iets wist. Tenzij Ali terug was.

Was dat echt mogelijk?

Emily reed met slippende banden door het grind. Nee, dat sloeg nergens op. Haar moeder kreeg nog altijd ansichtkaarten van mevrouw DiLaurentis; zij zou het heus wel gehoord hebben als Ali terug was. Toen Alison verdween, was dat dag en nacht in het nieuws geweest. Tegenwoordig hadden haar ouders meestal CNN op staan tijdens het ontbijt. Haar terugkeer zou beslist weer groot nieuws zijn.

Toch was het een fijne gedachte. Avond aan avond, tot bijna een jaar na Ali's verdwijning, had Emily aan haar Magic 8 Ball gevraagd of Ali zou terugkomen. Hoewel hij soms antwoordde: *Wacht maar af*, had hij nooit, maar dan ook nooit *Nee* geantwoord. Ze had ook weddenschappen met zichzelf gesloten: als er vandaag twee kinderen in de schoolbus stappen in een rood shirt, fluisterde ze bijvoorbeeld in zichzelf, dan is alles goed met Alison. Als we pizza krijgen bij de lunch, is Ali niet dood. Als we straks starten en keren moeten trainen, komt Ali terug. Negen van de tien keer, als je op Emily's bijgeloof af mocht gaan, stond Ali op het punt om terug te komen.

Misschien had ze het al die tijd bij het rechte eind gehad.

Ze trapte moeizaam heuvelopwaarts en nam een scherpe bocht, waarbij ze op een haar na een gedenkteken van de Amerikaanse Revolutie miste. Als Ali terug was, wat betekende dat dan voor Emily's vriendschap met Maya? Ze betwijfelde of ze twee 'beste vriendinnen' kon hebben... twee beste vriendinnen voor wie ze vrijwel hetzelfde voelde. Wat zou Ali eigenlijk van Maya vinden? Stel je voor dat ze de pest aan elkaar hadden.

Ik vond het heerlijk.
We moeten gewoon vriendinnen blijven, meer niet.

Ze zoefde langs de schitterende woonboerderijen, vervallen stenen herbergen en de bestelbusjes van tuinmannen die in de berm geparkeerd stonden. Dit was precies de route die ze vroeger altijd fietste naar Ali's huis; de laatste keer was vlak voor de kus geweest. Emily was niet van plan geweest Ali te zoenen; in het vuur van het moment was het zomaar gebeurd. Ze zou nooit vergeten hoe zacht Ali's lippen waren geweest, en hoe verbijsterd ze had gekeken toen ze zich terugtrok. 'Waarom deed je dat nou?' had ze gevraagd.

Plotseling loeide er een sirene achter Emily. Ze kreeg maar amper de tijd om aan de kant te gaan voordat er een ambulance voorbijvloog. Een harde windvlaag blies stof in haar gezicht. Ze wreef in haar ogen en staarde de ambulance na, die over de heuvel racete en vaart minderde voor Alisons straat.

Nu reed hij Ali's straat in. Emily werd gegrepen door angst. Ali's straat was... Maya's straat. Ze kneep in de rubberen handvatten van haar stuur.

Door alle drukte en toestanden was ze het geheim vergeten dat Maya haar gisteravond had verteld. Het snijden. Het ziekenhuis. Dat grote, grillige litteken. *Soms... moet het gewoon,* had Maya gezegd.

'O god, nee,' fluisterde Emily.

Ze fietste als een bezetene en reed slippend de hoek om. Als de sirenes ophouden als ik de hoek om kom, dacht ze, is er niks met Maya aan de hand.

Maar toen stopte de ambulance voor Maya's huis. De sirenes loeiden nog. Overal stonden politieauto's.

'Nee,' fluisterde Emily. Er kwamen ambulancebroeders in witte jassen uit de wagen en ze renden naar het huis. Maya's voortuin stond vol mensen, sommige met camera's. Emily gooide haar fiets op de stoep en rende zigzaggend naar de voordeur.

'Emily!'

Maya wrong zich door de mensenmenigte. Emily hapte naar adem en vloog toen in Maya's armen. De tranen stroomden over haar wangen.

'Je bent er nog,' snikte ze. 'Ik was bang...'

'Met mij is niks aan de hand,' zei Maya.

Maar aan haar stem was te horen dat er wel iets anders mis was. Emily deed een stapje terug. Maya had rode, waterige ogen en een nerveuze, strakke trek om haar mond. 'Wat is er?' vroeg Emily. 'Wat is er aan de hand?' Maya slikte. 'Ze hebben je vriendin gevonden.' 'Wat?' Emily staarde naar Maya, en daarna naar het tafereel in de tuin.

Het kwam haar allemaal griezelig bekend voor: de ambulance, de politieauto's, al die mensen, de camera's met lange telelenzen. Een nieuwshelikopter boven hun hoofden. Dit was precies hetzelfde als drie jaar geleden, toen Ali pas vermist werd.

Emily maakte zich los uit Maya's armen en grinnikte vol ongeloof. Ze had dus toch gelijk gehad!

Alison was terug bij haar oude huis, alsof er niets was gebeurd. 'Ik wist het wel,' fluisterde ze.

Maya pakte Emily's hand. 'Ze waren aan het graven voor onze tennisbaan. Mijn moeder was erbij. Ze heeft haar... gezien. Ik kon haar vanaf mijn kamer horen gillen.'

Emily liet Maya's hand los. 'Wacht even. Wát?'

'Ik heb nog geprobeerd je te bellen.'

Emily fronste haar voorhoofd en staarde Maya aan. Toen keek ze naar het twintig man sterke politieteam. Naar mevrouw St. Germain die stond te huilen bij de autobandschommel. Naar het politielint ('verboden terrein, niet betreden') dat om de tuin heen was gespannen. En toen ging haar blik naar de bestelwagen die op de oprit stond: LIJKSCHOUWER POLITIE ROSEWOOD stond erop. Ze moest het zes keer lezen voor het tot haar doordrong. Haar hartslag versnelde en plotseling kreeg ze geen lucht meer.

'Ik... begrijp het niet,' wist Emily met moeite uit te brengen, en ze deinsde verder achteruit. 'Wie hebben ze dan gevonden?'

Maya keek haar vol medeleven aan, haar ogen glinsterend van de tranen. 'Je vriendin Alison,' fluisterde ze. 'Ze hebben haar lijk gevonden.'

31

DE HEL, DAT ZIJN
INDERDÁÁD DE ANDEREN

Byron Montgomery nam een slok koffie en stak met trillende handen zijn pijp aan. 'Ze is gevonden toen het beton in de tuin van Di-Laurentis werd afgegraven om er een tennisbaan aan te leggen.'
'Ze lag onder het beton,' voegde Ella eraan toe. 'Ze konden aan haar ring zien dat zij het was. Maar er worden nog DNA-tests gedaan om er helemaal zeker van te zijn.'
Het was alsof Aria een stomp in haar maag kreeg. Ze dacht aan de witgouden ring met Ali's initialen. Die hadden haar ouders voor haar bij Tiffany gekocht toen ze op haar tiende haar amandelen moest laten knippen. Ali had hem later om haar pink gedragen.
'Waarom moet er nog een DNA-test worden gedaan?' vroeg Mike. 'Was ze in verregaande staat van ontbinding?'
'Michelangelo!' Byron fronste zijn wenkbrauwen. 'Zoiets zeg je niet waar je zus bij is.'
Mike haalde zijn schouders op en propte een groot stuk zure-appelkauwgum in zijn mond. Aria ging tegenover hem zitten, en terwijl de tranen stilletjes over haar wangen liepen, ontrafelde ze afwezig de rand van een rotan placemat. Het was twee uur 's middags en ze zaten aan de keukentafel.
'Ik kan er wel tegen,' zei Aria met dichtgeknepen keel. 'Wás ze in staat van ontbinding?'
Haar ouders keken elkaar aan. 'Eh... ja,' antwoordde haar vader, en hij krabde door een gaatje in zijn overhemd aan zijn borst. 'Lijken vergaan nogal snel.'

'Gatver,' fluisterde Mike.

Aria deed haar ogen dicht. Alison was dood. Haar lichaam was verrot. Waarschijnlijk was ze vermoord.

'Lieverd?' fluisterde Ella, en ze legde haar hand over die van Aria. 'Liefje, gaat het een beetje?'

'Ik weet het niet,' fluisterde Aria, en ze deed haar best om niet weer te gaan janken.

'Wil je een Xanaxje? Daar word je rustig van,' zei Byron.

Aria schudde haar hoofd.

'Nou, ik wel,' zei Mike snel.

Aria pulkte nerveus aan haar duim. Ze had het warm en tegelijkertijd koud. Ze wist niet wat ze moest denken of doen. De enige persoon die haar misschien een beter gevoel zou kunnen geven was Ezra; hem zou ze wel kunnen uitleggen wat ze voelde. Hij zou haar op z'n minst laten uithuilen op zijn beddensprei van spijkerstof.

Ze schoof haar stoel naar achteren en liep naar haar kamer. Byron en Ella volgden haar met hun blikken naar de wenteltrap.

'Lieverd?' zei Ella. 'Wat kunnen we voor je doen?'

Maar Aria deed alsof ze het niet hoorde en duwde haar slaapkamerdeur open. Haar kamer was een puinhoop. Ze had hem niet meer opgeruimd sinds ze teruggekomen waren uit IJsland, en ze was toch al niet bepaald netjes. De vloer lag bezaaid met kledingstukken, op rommelige hoopjes. Op haar bed lagen cd's, de kraaltjes die ze op een pet aan het naaien was, verf, een stok kaarten, Pigtunia, schetsen van Ezra's profiel en diverse bollen breiwol. In de vloerbedekking zat een grote kaarsvetvlek. Ze zocht tussen de plooien van haar dekbed en op haar bureau naar haar telefoon – die had ze nodig om Ezra te bellen. Maar hij lag er niet. Ze keek in de groene tas die ze gisteren had meegenomen naar het feest, maar ook daar zat haar telefoon niet in.

Toen wist ze het weer. Nadat ze dat sms'je had ontvangen, had ze de telefoon uit haar handen laten vallen alsof hij giftig was. Ze had hem natuurlijk bij Ezra laten liggen.

Ze stormde de trap af. Haar ouders stonden nog op de overloop.

'Ik neem de auto mee,' mompelde ze, en ze griste de sleutels van het haakje naast het tafeltje in de hal.

'Goed,' zei haar vader.

'Neem gerust de tijd,' voegde haar moeder eraan toe.

Iemand had een groot metalen beeld van een terriër in de deuropening van Ezra's huis gezet om de deur open te houden. Aria liep eromheen en stapte de gang in. Ze klopte op Ezra's deur. Ze had hetzelfde gevoel dat je hebt wanneer je heel nodig moet plassen: het is een kwelling, maar je weet dat je je snel een stuk beter zult voelen.

Ezra zwaaide de deur open. Zodra hij haar zag, probeerde hij hem weer dicht te trekken.

'Wacht!' riep Aria met een piepstemmetje; de tranen waren hoorbaar in haar stem. Ezra liep door naar zijn keukentje, met zijn rug naar haar toe. Ze ging achter hem aan.

Toen draaide hij zich met een ruk om. Hij was ongeschoren en zag er doodmoe uit. 'Wat kom je doen?'

Aria beet op haar lip. 'Ik wilde je zien. Ik heb nieuws gekregen…' Haar telefoon lag op het tafeltje. Ze pakte hem op. 'Dank je wel. Je hebt hem dus gevonden.'

Ezra keek kwaad naar de telefoon. 'Goed, je hebt hem terug. Wil je dan nu vertrekken?'

'Wat is er?' Ze liep naar hem toe. 'Ik heb vandaag nieuws gekregen waarover ik je…'

'Nou, voor mij was er ook nieuws,' viel hij haar in de rede, en hij liep bij haar vandaan. 'Echt, Aria, ik kan niet eens naar je kíjken.'

Ze kreeg tranen in haar ogen. 'Hè?' Niet-begrijpend keek ze hem aan.

Ezra wendde zijn blik af. 'Ik heb in je telefoon gezien wat je over me hebt gezegd.'

Aria fronste haar voorhoofd. 'Ik? In mijn telefoon?'

Ezra keek naar haar op. Zijn ogen fonkelden van woede. 'Denk je dat ik achterlijk ben? Was dit maar een spelletje voor je? Een weddenschap?'

'Waar heb je het…?'

Hij zuchtte kwaad. 'Nou, zal ik je eens wat vertellen? Ik ben erin getrapt. Je had me goed te pakken. Tevreden? En nu wegwezen.'

'Ik snap er niks van!' riep Aria uit.

Ezra sloeg met zijn vlakke hand tegen de muur, zo hard dat Aria ervan schrok. 'Hou je niet van de domme! Ik ben niet een of ander jochie, Aria.'

Aria begon over haar hele lijf te trillen. 'Ik zweer je dat ik geen idee heb waar je het over hebt. Kun je het me alsjeblieft uitleggen?'

Ezra liet de muur los en begon door het piepkleine vertrek te ijsberen. 'Goed dan. Toen je weg was, probeerde ik nog wat te slapen. Maar ik hoorde alsmaar gepiep. En weet je wat dat was?' Hij wees naar de telefoon. 'Jouw mobieltje. De enige manier om het gepiep te laten ophouden, was door je inbox te openen.'

Aria wreef haar tranen weg.

Ezra sloeg zijn armen over elkaar. 'Moet ik de berichten voor je citeren?'

Toen drong het tot Aria door. De sms'jes! 'Wacht! Nee! Je begrijpt het verkeerd.'

Ezra stond te trillen op zijn benen. '*Student-docentbespreking? Daar zul je wel hoge cijfers mee scoren?* Klinkt dat je bekend in de oren?'

'Nee, Ezra,' stamelde Aria. 'Je begrijpt het verkeerd.' De hele wereld tolde. Ze moest zich aan de rand van Ezra's keukentafel vastklampen.

'Ja, ik wacht.'

'Een vriendin van me is vermoord,' begon ze. 'Haar lichaam is net gevonden.' Ze deed haar mond open om meer te vertellen, maar ze kon de juiste woorden niet vinden. Ezra stond zo ver mogelijk bij haar vandaan in de kleine ruimte, achter de badkuip.

'Het is allemaal heel idioot,' ging Aria verder. 'Kun je alsjeblieft hier komen? Zou je me op z'n minst even willen vasthouden?'

Ezra stond daar met zijn armen over elkaar geslagen en keek naar de grond. Het leek een eeuwigheid te duren. 'Ik vond je écht heel leuk,' zei hij uiteindelijk met gebroken stem.

Aria onderdrukte een snik. 'Ik jou ook...' Ze liep naar hem toe. Maar Ezra ontweek haar. 'Nee. Ik wil dat je gaat.'

'Maar...'

Hij sloeg zijn hand voor zijn mond. 'Alsjeblieft,' zei hij een beetje wanhopig. 'Ga alsjeblieft weg.'

Aria zette grote ogen op en haar hart bonkte. In haar hoofd begon een alarmbelletje te rinkelen. Dit voelde niet goed. In een opwelling beet ze in Ezra's hand.

'Wat doe je, verdomme!' schreeuwde hij en deinsde achteruit.

Aria stond er versuft bij. Het bloed droop uit Ezra's hand op de grond. 'Je bent gestoord!' riep hij.

Aria ademde moeizaam. Ze kon geen woord uitbrengen, al zou

ze het gewild hebben. Dus draaide ze zich om en holde naar de deur. Toen ze haar hand op de deurknop had, vloog er iets langs haar hoofd, dat tegen de muur knalde en aan haar voeten op de grond terechtkwam. Het was een boek: *Het zijn en het niet* van Jean-Paul Sartre. Aria draaide zich met open mond om naar Ezra, totaal in shock.

'Eruit!' schreeuwde Ezra.

Ze sloeg de deur met een klap achter zich dicht en rende zo snel als haar benen haar konden dragen het grasveld over.

32

EEN GEVALLEN STER

De volgende dag stond Spencer voor haar slaapkamerraam een Marlboro te roken en door de voortuin naar Alisons oude slaapkamer te staren. Die was verlaten en donker. Toen ging haar blik naar de tuin van de familie DiLaurentis. Sinds Ali was gevonden, was het geflits van zwaailichten niet meer opgehouden.

De politie had het hele betonnen gedeelte van Ali's oude tuin afgezet, ook al was het lijk daar allang weggehaald. Toen dat gebeurde hadden ze ook enorme tenten opgezet, dus Spencer had er niets van kunnen zien. Niet dat ze dat had gewild. Het was té afschuwelijk om te bedenken dat Ali's lijk drie jaar lang in de tuin van de buren had liggen rotten. Spencer wist nog dat ze daar aan het graven waren geweest vóór Ali verdween. Het gat was gegraven rond de avond van haar verdwijning. Ze wist ook dat het was volgestort met beton na Ali's verdwijning, maar ze kon zich niet precies herinneren wanneer. Iemand had Alison daar dus gewoon gedumpt.

Ze drukte haar Marlboro uit tegen de stenen muur van hun huis en begon weer in de *Lucky* te bladeren. Ze had sinds de confrontatie van gisteren amper een woord gewisseld met haar familie en had geprobeerd zichzelf te kalmeren door het blad grondig door te nemen en bij alles wat ze wilde kopen een bijgeleverde 'Yes'-sticker te plakken. Maar toen ze het artikel over tweedblazers zag, kreeg ze tranen in haar ogen.

Ze kon hier niet eens met haar ouders over praten. Gisteren, na het gesprek bij het ontbijt, was Spencer naar buiten gegaan om te kijken waar al die sirenes naartoe gingen – ze kreeg nog steeds de zenuwen van ambulances, door Het Voorval Met Jenna en door Ali's verdwijning. Toen ze het gazon overstak naar het huis van DiLaurentis, had ze iets gevoeld en zich omgedraaid. Haar ouders waren ook naar buiten gekomen om te kijken wat er aan de hand was. Toen ze zagen dat zij omkeek, hadden ze snel hun hoofden afgewend. De politie had tegen Spencer gezegd dat ze niet verder mocht, dat het verboden terrein was. Toen had ze de auto van de lijkschouwer zien staan. Door de walkietalkie van een van de agenten had krakend 'Alison' geklonken.

Spencer kreeg het ijskoud. Alles begon te draaien. Ze liet zich op het gras zakken. Iemand zei iets tegen haar, maar ze kon hem niet volgen. 'Je bent in shock,' hoorde ze na een hele tijd. 'Probeer wat rustiger te worden.' Spencers blikveld was zo smal dat ze niet wist wie het was – in ieder geval niet haar vader of moeder. Hij kwam terug met een deken en zei dat ze maar even moest blijven zitten, en dat ze moest zorgen dat ze niet afkoelde.

Toen ze zich goed genoeg voelde om op te staan, was degene die haar had geholpen verdwenen. Haar ouders waren ook weg. Ze waren niet eens komen kijken of het wel goed met haar ging.

De rest van de zaterdag en het grootste deel van de zondag had ze op haar kamer gezeten; ze was er alleen uitgekomen om naar de wc te gaan, wanneer ze zeker wist dat er niemand in de buurt was. Ze hoopte dat er iemand zou komen kijken hoe het met haar ging, maar toen ze vandaag een zacht, aarzelend klopje op haar deur had gehoord, had ze niet opengedaan. Ze wist niet waarom. Ze had degene die voor de deur stond horen zuchten en weglopen.

En toen, pas een halfuur geleden, had Spencer de Jaguar van haar vader achteruit de oprit af zien rijden, de hoofdweg op. Haar moeder zat op de passagiersstoel en Melissa op de achterbank. Ze had geen idee waar ze naartoe gingen.

Lusteloos plofte ze achter haar computer en klikte die eerste mail van A nog eens aan, waarin ze het had over het begeren van dingen die je niet kon krijgen. Nadat Spencer het berichtje een paar keer had gelezen, klikte ze op 'beantwoorden'. Langzaam typte ze: *Ben jij Alison?*

Ze aarzelde voordat ze op 'verzenden' drukte. Begon ze soms te hallucineren van al die zwaailichten? Dode meisjes hadden geen

Hotmail. En geen msn-naam. Spencer probeerde zichzelf tot de orde te roepen – iemand gaf zich gewoon uit voor Ali. Maar wie? Ze staarde naar het Mondriaan-mobieltje dat ze vorig jaar in het Philadelphia Art Museum had gekocht. Toen hoorde ze een tik. En nog een keer. *Tik.*

Het klonk wel erg dichtbij. Op haar raam of zo. Toen ze rechtop ging zitten, zag ze nog net een steentje tegen het glas tikken. Er gooide iemand met kiezelsteentjes.

A?

Bij de volgende kiezel liep ze naar het raam – en ze hapte geschrokken naar adem. Op het gras stond Wren. De rood-blauwe lichten van de politieauto's wierpen gestreepte schaduwen op zijn wangen. Toen hij haar zag, begon hij breed te grijnzen. Ze stoof meteen de trap af, zonder zich er iets van aan te trekken hoe afschuwelijk haar haar zat, en dat ze haar Kate Spade-pyjamabroek met tomatensausvlekken aanhad. Wren kwam op haar af gehold zodra ze naar buiten kwam. Hij sloeg zijn armen om haar heen en kuste haar op haar ongewassen haar.

'Je mag hier niet komen,' mompelde ze.

'Ik weet het.' Hij deed een stapje achteruit. 'Maar ik zag dat de auto van je ouders weg was, dus…'

Ze streek met haar hand door zijn zachte haar. Wren zag er doodmoe uit. Misschien had hij vannacht wel in zijn Toyotaatje moeten slapen.

'Hoe wist je dat ik weer op mijn oude kamer zit?'

Hij haalde zijn schouders op. 'Gokje. En ik dacht dat ik je voor het raam zag staan. Ik had wel eerder willen komen, maar er was daar… van alles aan de hand.' Hij wees naar de politieauto's en de schots en scheef geparkeerde nieuwswagens bij de buren. 'Gaat het een beetje?'

'Jawel,' antwoordde Spencer. Ze hield haar hoofd schuin omhoog naar Wrens mond en moest op haar droge, schrale onderlip bijten om niet in tranen uit te barsten. 'En met jou?'

'Met mij? Goed, hoor.'

'Kun je wel ergens slapen?'

'Bij een vriend op de bank, tot ik iets gevonden heb. Maar dat geeft niet.'

Had Spencer ook maar iemand bij wie ze op de bank mocht slapen. Toen schoot haar iets te binnen. 'Is het uit tussen Melissa en jou?'

Wren nam haar gezicht in zijn handen en zuchtte. 'Natuurlijk,' zei hij zachtjes. 'Dat was al wel duidelijk. Met Melissa was het heel anders dan...'

Hij maakte zijn zin niet af, maar Spencer dacht te weten wat hij had willen zeggen. ... *was het heel anders dan met jou.* Ze glimlachte bibberig en legde haar hoofd tegen zijn borst. Zijn hart bonsde in haar oor.

Ze wierp een snelle blik op het huis van DiLaurentis. Iemand had een gedenkplaats voor Alison op de stoep gemaakt, compleet met foto's en brandende waxinelichtjes. In het midden stond met magneetlettertjes *Ali* geschreven. Zelf had Spencer een foto neergezet van een glimlachende Ali in een strak blauw Von Dutch-truitje en een gloednieuwe Seven-broek. Ze kon zich nog goed herinneren wanneer ze die foto had genomen: in het laatste jaar van de basisschool, op de avond van het Rosewood Winterfeest. Ze hadden met z'n vijven Melissa bespioneerd toen Ian haar kwam ophalen. Spencer had de slappe lach gekregen omdat Melissa, in haar poging een theatrale entree te maken, over het stoepje van de familie Hastings was gestruikeld op weg naar de ordinaire, gehuurde Hummer-limousine. Waarschijnlijk was dat Spencers allerlaatste echt leuke, zorgeloze herinnering. Niet lang daarna kwam Het Voorval Met Jenna.

Net toen ze haar tranen stond weg te vegen met de achterkant van haar bleke, magere hand, reed een van de nieuwswagens stapvoets voorbij. Een jongen met een rood Phillies-petje op zijn hoofd staarde haar aan. Ze dook weg. Dit was niet het moment voor opnames van het emotionele buurmeisje dat in snikken uitbarst vanwege de tragische gebeurtenis.

'Je kunt beter gaan.' Sniffend draaide ze zich om naar Wren. 'Het is hier een gekkenhuis, en ik weet niet wanneer mijn ouders terugkomen.'

'Goed.' Hij pakte haar kin en duwde haar hoofd omhoog. 'Maar je wilt me toch nog wel zien?'

Spencer slikte en probeerde te glimlachen. Toen ze dat deed, bukte Wren zich om haar te kussen, met één hand in haar nek en de andere precies op het plekje boven haar billen dat afgelopen vrijdag nog zoveel pijn had gedaan.

Spencer maakte zich van hem los. 'Ik heb je telefoonnummer niet eens.'

'Wees maar niet bang,' fluisterde Wren. 'Ik bel jou wel.' Even bleef ze aan de rand van hun enorme tuin staan om Wren na te kijken terwijl hij naar zijn auto liep. Toen hij wegreed, brandden de tranen weer in haar ogen. Had ze maar iemand met wie ze kon praten – iemand die niet uit hun huis was verbannen. Ze keek nog een keer naar de gedenkplaats voor Ali en vroeg zich af hoe haar oude vriendinnen dit verwerkten.

Toen Wren aan het einde van haar straat was gekomen, zag Spencer de koplampen van een andere auto naderen. Ze bleef stokstijf staan. Waren dat haar ouders? Hadden ze hem gezien?

De koplampen kwamen dichterbij. Opeens besefte Spencer wie het was. Hoewel de lucht dieppaars was, kon ze nog het halflange haar van Andrew Campbell onderscheiden.

Met een kreetje van verbazing dook ze weg achter de rozenstruiken van haar moeder. Andrew reed stapvoets naar hun brievenbus, deed die open, stopte er iets in en sloot de klep weer netjes. Toen reed hij weg.

Ze wachtte tot hij uit het zicht was voordat ze naar de stoep sprintte en de brievenbus openrukte. Andrew had een opgevouwen velletje papier achtergelaten.

Hoi, Spencer. Ik wist niet of je je telefoon zou opnemen.

Ik vind het heel erg van Alison. Hopelijk heb ik je gisteren een beetje geholpen met mijn deken.
-Andrew

Spencer liep de oprit op en las het briefje een paar keer over. Ze staarde naar het schuine jongenshandschrift. Deken? Welke deken?

Toen wist ze het weer. Was dat *Andrew*, die haar had geholpen? Ze frommelde het briefje op en barstte weer in snikken uit.

33

LEVE DE POLITIE VAN ROSEWOOD

'De politie heeft de zaak-DiLaurentis heropend en is momenteel bezig met het horen van getuigen,' meldde de nieuwslezer in het journaal van elf uur. 'De familie DiLaurentis, die tegenwoordig in Maryland woont, zal zich geconfronteerd zien met iets wat ze graag achter zich had gelaten. Maar nu kunnen ze het verlies tenminste een plekje geven.'

Wat kunnen nieuwslezers toch dramatisch doen, dacht Hanna geërgerd, en ze propte nog een handvol kaaszoutjes in haar mond. Laat het maar aan het journaal over om een vreselijk verhaal nog afschuwelijker te maken. De camera bleef gericht op het 'Ali-altaar', zoals ze het noemden: de kaarsen, knuffelbeesten, verlepte bloemen die de mensen waarschijnlijk gewoon in de tuin van de buren hadden geplukt, marshmallows (Ali's lievelingssnoep) en natuurlijk foto's.

De camera was nu gericht op Ali's moeder; Hanna had haar al een hele tijd niet gezien. Ondanks haar betraande gezicht zag mevrouw DiLaurentis er goed uit, met een nonchalant kapsel en enorme oorbellen.

'We hebben besloten een herdenkingsdienst voor Alison te houden in Rosewood, de enige plek waar Ali echt thuis was,' zei mevrouw DiLaurentis op beheerste toon. 'We willen iedereen die ons drie jaar geleden heeft geholpen bij het zoeken naar Alison bedanken voor hun niet-aflatende steun.'

De nieuwslezer kwam weer in beeld. 'Morgen is de herdenkings-

dienst in de Rosewood Abbey. Deze is toegankelijk voor het publiek.'
Hanna zette de tv uit. Het was zondagavond. Ze zat op de bank in de huiskamer, in haar meest aftandse C&C-shirtje en een boxershort van Calvin Klein die ze bij Sean uit de la had gejat. Haar lange bruine haar hing als een bos stro om haar gezicht en ze wist bijna zeker dat ze een pukkel op haar voorhoofd had. Op haar schoot stond een enorme bak kaaszoutjes, op de salontafel lag een lege ijsverpakking en naast haar stond een lege pinot-noirfles. Ze had de hele avond geprobeerd om zich níet vol te proppen, maar ze had vandaag gewoon niet zo veel wilskracht.

Ze zette de tv weer aan. Had ze maar iemand met wie ze kon praten... Over de politie, over A, en vooral over Alison. Sean viel af, om logische redenen. Aan haar moeder – die vanavond een afspraakje had en op stap was – had ze zoals gewoonlijk helemaal niets. Na alle drukte op het politiebureau gisteren had Wilden tegen Hanna en haar moeder gezegd dat ze naar huis mochten gaan; ze zouden later op de zaak terugkomen, want de politie had nu belangrijker dingen te doen. Hanna en haar moeder hadden niet geweten wat er precies aan de hand was, alleen dat het met een moord te maken had.

Op weg naar huis had mevrouw Marin, in plaats van Hanna een flinke uitbrander te geven omdat ze... ach ja, alleen maar een auto had gestolen en er straalbezopen in rondgereden had, tegen Hanna gezegd dat zij 'deze kwestie wel zou oplossen'. Hanna had geen idee wat ze daarmee bedoelde. Vorig jaar was er nog een politieagent op school geweest die had verteld dat Pennsylvania een 'zero tolerance'-beleid had ten aanzien van dronken automobilisten onder de eenentwintig. Hanna had toen alleen maar opgelet omdat ze de agent wel een lekker ding vond, maar nu galmden zijn woorden onheilspellend na in haar oren.

Op Mona kon ze ook niet rekenen: die was nog op dat golftoernooi in Florida. Ze hadden elkaar even door de telefoon gesproken en Mona had toegegeven dat de politie haar had gebeld over Seans auto, maar ze had gedaan alsof ze van niets wist en gezegd dat ze de hele avond op het feest was geweest, samen met Hanna. En die trut had weer eens mazzel gehad: alleen haar achterhoofd was te zien op de beelden van de beveiligingscamera bij Wawa, haar gezicht niet, en ze had die vieze chauffeurspet op gehad. Maar dat was gisteren, toen Hanna net terug was van het politiebureau – over Alison hadden ze het nog niet gehad.

En dan had je nog… A. Of niet meer, als A toch Alison was geweest? Maar de politie zei dat Alison al jaren dood was…

Terwijl Hanna met dikke ogen van het huilen de televisiegids doorbladerde om te kijken wat er nog meer op tv kwam, overwoog ze om haar vader te bellen. Misschien was het nieuws ook tot Annapolis doorgedrongen. Of zou hij haar zelf bellen? Ze pakte de zwijgende telefoon op om te controleren of hij het wel deed.

Ze zuchtte. Het probleem van haar vriendschap met Mona was dat ze geen andere vrienden hadden. Nu ze al die beelden van Ali op tv zag, moest ze weer denken aan hun oude vriendinnengroepje. Er waren best vervelende momenten geweest, maar ze hadden ook verschrikkelijk veel lol gehad samen. Als het anders was gelopen, waren ze nu nog samen geweest en zouden ze met z'n vieren terugdenken aan Ali, en door hun tranen heen zouden ze ook kunnen lachen. Maar zo was het dus niet gelopen: ze waren helemaal uit elkaar gegroeid.

Natuurlijk waren ze niet voor niets ieder hun eigen weg gegaan; het was al misgelopen voordat Ali verdween. In het begin, toen ze nog samen vrijwilligerswerk deden, was het ontzettend leuk geweest. Maar later, na Het Voorval Met Jenna, waren de spanningen gekomen. Ze waren allemaal doodsbenauwd om ermee in verband gebracht te worden. Hanna kon zich nog goed herinneren dat ze zelfs de zenuwen had gekregen wanneer ze in de bus zat en er op de andere weghelft een politieauto reed. Daarna, in de winter en de lente die erop volgden, waren complete gespreksonderwerpen ineens verboden geweest. Dan zei er iemand 'Sst!' en vervolgens vervielen ze allemaal in een ongemakkelijke stilte.

Het nieuws van elf uur was afgelopen en *The Simpsons* begon. Hanna pakte haar BlackBerry. Ze kende het nummer van Spencer nog steeds uit haar hoofd, en waarschijnlijk was het niet te laat op de avond om haar te bellen. Toen ze het tweede cijfer intoetste, hield ze haar hoofd schuin. Haar Tiffany-oorbellen bungelden heen en weer. Er klonk een krassend geluid bij de deur.

Dot, die aan haar voeten had gelegen, tilde zijn kop op en begon te grommen. Hanna pakte de schaal kaaszoutjes van haar schoot en stond op.

Was dat... A?

Met knikkende knieën sloop ze de hal in. Er vielen lange, donkere schaduwen op de achterdeur, en het krassende geluid was luider geworden. 'O, god,' fluisterde Hanna met trillende kin. Er probeerde iemand binnen te komen!

Ze keek om zich heen. Op het tafeltje in de hal lag een ronde presse-papier van jade; dat ding moest minstens tien kilo wegen. Ze pakte het op en deed aarzelend drie stappen naar de keukendeur.

Ineens vloog die open. Hanna sprong achteruit. Er kwam een vrouw naar binnen gestrompeld. Haar smaakvolle grijze plooirok zat om haar middel gestroopt. Hanna hield de presse-papier omhoog, klaar om te gooien.

Toen zag ze het: het was haar moeder.

Mevrouw Marin viel tegen het telefoontafeltje alsof ze stomdronken was. Achter haar stond een of andere kerel die probeerde de rits van haar rok open te doen en haar tegelijkertijd te zoenen.

Hanna zette grote ogen op.

Darren Wilden. Mister April.

Dus dát bedoelde haar moeder met 'deze kwestie oplossen'?

Hanna kreeg een knoop in haar maag. Ze zag er ongetwijfeld nogal idioot uit met die presse-papier in haar hand. Mevrouw Marin keek Hanna doordringend aan en nam niet eens de moeite om zich van Wilden los te maken.

Haar moeders ogen zeiden: *Ik doe dit voor jou.*

34

NOOIT GEDACHT DAT WE
JULLIE HIER ZOUDEN TEGENKOMEN!

Maandagochtend stond Emily, in plaats van bij biologie te zitten, naast haar ouders op de marmeren vloer van het hoge middenschip van de Rosewood Abbey. Ze plukte ongemakkelijk aan de zwarte, te korte plooirok van Gap die ze achter in haar kast had gevonden, en ze deed haar best om te glimlachen. Mevrouw DiLaurentis stond bij de ingang van de kerk, gekleed in een hooggesloten zwarte jurk, hoge hakken en een snoer piepkleine zoetwaterparels. Ze kwam naar Emily toe en omhelsde haar stevig.

'O, Emily,' snikte mevrouw DiLaurentis.

'Ik vind het verschrikkelijk,' fluisterde Emily terug, zelf ook met tranen in de ogen. Mevrouw DiLaurentis gebruikte nog hetzelfde parfum als vroeger: Coco Chanel. Het bracht meteen een heleboel herinneringen bij Emily naar boven: de vele ritjes naar het winkelcentrum in de Infinity van mevrouw DiLaurentis, de keren dat ze de badkamer in waren geslopen om haar dieetpillen te pikken of te experimenteren met haar dure make-up van La Prairie, de enorme inloopkast waar ze al haar sexy zwarte Dior-jurkjes hadden gepast.

Andere leerlingen van Rosewood dromden langs hen heen, op zoek naar een plekje in de hoge houten kerkbanken. Emily had niet geweten wat ze van Alisons herdenkingsdienst moest verwachten. Het rook in de kerk naar wierook en hout. Aan het plafond hingen eenvoudige cilindervormige lampen en het altaar was bedekt met oneindig veel witte tulpen. Tulpen waren Alisons lievelingsbloemen. Emily wist nog dat Ali haar moeder ieder jaar had geholpen om lange rijen bollen in hun tuin te planten. Alisons moeder liet haar eindelijk los en droogde haar tranen. 'Ik wil graag dat je vooraan komt zitten, bij alle andere vriendinnen van Ali. Is dat goed, Kathleen?'

Emily's moeder knikte. 'Natuurlijk.'

Emily luisterde naar ieder tikje van mevrouw DiLaurentis' hakken en naar het geschuifel van haar eigen platte schoenen toen ze naar voren liepen. Opeens drong het tot haar door waarom ze hier ook alweer was: Ali was dóód.

Ze klampte zich vast aan de arm van mevrouw DiLaurentis. 'O jee.' Haar blikveld werd smaller en ze hoorde een soort *waaah* in haar oren, een teken dat ze op het punt stond flauw te vallen.

Mevrouw DiLaurentis hield haar overeind. 'Niks aan de hand, kom maar. Ga hier maar zitten.'

Duizelig schuifelde Emily de kerkbank in. 'Stop je hoofd even tussen je benen,' hoorde ze een bekende stem zeggen.

Een andere stem zei schamper: 'Kan het nog harder? Dan horen meteen álle jongens het.'

Emily keek op. Naast haar zaten Aria en Hanna. Aria droeg een blauw-paars-fuchsia gestreept katoenen jurkje met boothals, een donkerblauw fluwelen jasje en cowboylaarzen. Typisch Aria; zij was zo iemand die vond dat je op een begrafenis kleurrijke kleding moest dragen om het leven te vieren. Hanna daarentegen had een · dun zwart jurkje met V-hals en een zwarte panty aan.

'Lieverd, schuif je even door?'

Mevrouw DiLaurentis stond over haar heen gebogen met Spencer Hastings, die een antracietgrijs pak en ballerina's droeg.

'Hallo allemaal,' zei Spencer met die mooie zachte stem die Emily had gemist. Ze kwam naast haar zitten.

'Dat is lang geleden,' zei Aria met een glimlach.

Stilte. Emily gluurde vanuit haar ooghoeken naar de anderen. Aria friemelde aan een zilveren ring die ze om haar duim droeg, Hanna rommelde in haar tas en Spencer zat doodstil naar het altaar te staren.

'Arme Ali,' mompelde Spencer.

De meisjes zwegen een paar minuten. Emily peinsde zich suf om iets te bedenken wat ze zou kunnen zeggen. Het *waaah*-geluid vulde haar oren weer. ·

Ze draaide zich om en keek rond op zoek naar Maya, maar ineens keek ze recht in de ogen van Ben. Hij zat op de tweede rij van achteren, samen met de anderen van het zwemteam. Emily zwaaide aarzelend. Hiermee vergeleken stelde het voorval op het feest niks meer voor.

Maar in plaats van terug te zwaaien wierp Ben haar een woedende blik toe, en zijn dunne lippen vormden een koppige, rechte streep.

Dan niet.

Emily draaide zich snel weer om. Ze voelde een enorme woede opkomen. *Mijn beste vriendin van vroeger is vermoord*, had ze wel willen gillen. *We zitten verdorie in de kerk! Een beetje vergevingsgezindheid kan toch geen kwaad?*

Toen drong het tot haar door: ze wilde helemaal niet dat Ben haar terug zou nemen. Geen haar op haar hoofd.

Aria tikte op haar been. 'Gaat het een beetje, na zaterdagochtend? Ik bedoel, toen wist je het toch nog niet, hè?'

'Nee, het kwam door iets anders. Maar het gaat wel weer,' antwoordde Emily, ook al was dat niet zo.

'Spencer.' Hanna's hoofd dook op. 'Ik eh… ik heb je laatst in het winkelcentrum gezien.'

Spencer keek Hanna aan. 'Hmm?'

'Je was… Je ging bij Kate Spade naar binnen.' Hanna keek naar de grond. 'Ik weet niet, ik had hallo willen zeggen. Maar eh… ik ben blij dat je die tassen niet meer helemaal uit New York hoeft te laten komen.' Ze bloosde, alsof ze te veel had gezegd.

Emily was stomverbaasd – zo had ze Hanna al jaren niet meer gezien.

Spencer fronste haar voorhoofd. Toen verscheen er een treurige, zachte uitdrukking op haar gezicht. Ze slikte iets weg en liet haar hoofd hangen. 'Dank je wel,' mompelde ze. Haar schouders begonnen te schokken en ze kneep haar ogen dicht. Emily voelde zelf ook een brok in haar keel. Ze had Spencer nog nooit zien huilen.

Aria legde een hand op Spencers schouder. 'Stil maar,' zei ze.

'Sorry,' zei Spencer, en ze veegde met haar mouw haar tranen weg. 'Ik had…' Ze keek even naar het groepje en begon toen nog harder te huilen.

Emily sloeg een arm om haar heen. Het voelde een beetje

vreemd, maar ze merkte aan het kneepje dat Spencer in haar hand gaf dat ze het wel op prijs stelde.

Toen ze weer allebei rechtop in de bank zaten, haalde Hanna een zilveren heupflesje uit haar tas en boog zich naar Emily toe om het te laten doorgeven aan Spencer. 'Hier,' fluisterde ze.

Zonder er zelfs maar aan te ruiken of te vragen wat erin zat, nam Spencer een grote slok. Ze trok een vies gezicht, maar zei: 'Dank je wel.'

Ze gaf het flesje terug aan Hanna, die eruit dronk en het doorgaf aan Emily. Emily nam een klein slokje, dat in haar borst brandde, en gaf het flesje door aan Aria. Voordat ze ervan dronk, trok Aria aan Spencers mouw.

'Misschien helpt dit je ook een beetje.' Aria trok de schouder van haar jurkje omlaag en er kwam een wit gebreid behabandje tevoorschijn. Emily herkende het meteen: Aria had in de brugklas voor hen allemaal een dikke wollen beha gebreid. 'Ik heb hem aangetrokken ter ere van de goeie ouwe tijd,' fluisterde ze. 'Hij kriebelt als een gek.'

Spencer begon te lachen. 'Jezus!'

'Jij bent echt gek,' zei Hanna grinnikend.

'Ik mocht de mijne niet aan, weet je nog?' vroeg Emily. 'Mijn moeder vond hem te sexy voor school!'

'Ja, hoor,' zei Spencer giechelend. 'Alsof het zo sexy is om de hele dag aan je borsten te krabben.'

Ze moesten allemaal lachen. Opeens begon Aria's mobieltje te zoemen. Ze pakte het uit haar tas en keek op het schermpje.

'Wat is er nou?' Aria keek op toen ze besefte dat ze allemaal naar haar zaten te staren.

Hanna friemelde aan haar bedelarmbandje. 'Kreeg je... eh... net een sms'je binnen?'

'Ja. Hoezo?'

'Van wie was het?'

'Van mijn moeder,' antwoordde Aria langzaam. 'Hoezo?'

Zachte orgelmuziek vulde de kerk. Achter hen schuifelden nog meer leerlingen stilletjes de kerk binnen. Spencer wierp een nerveuze blik op Emily. Emily's hart begon te bonzen.

'Laat maar,' zei Hanna. 'Dat was te nieuwsgierig van me.'

Aria likte aan haar lippen. 'Nee, wacht. Even serieus. *Hoezo?*'

Hanna's keel ging op en neer toen ze nerveus slikte. 'Ik... ik dacht dat jullie misschien ook rare dingen hadden meegemaakt.'

Aria's mond viel open. 'Dat is nog zacht uitgedrukt.'

Emily sloeg haar armen om haar eigen lijf heen.

'Wacht eens. Jullie ook?' fluisterde Spencer.

Hanna knikte. 'Sms'jes?'

'E-mail,' zei Spencer.

'Over... dingen uit de brugklas?' fluisterde Aria.

'Dat menen jullie niet!' piepte Emily.

De vriendinnen staarden elkaar aan. Maar voordat iemand nog iets kon zeggen, werd de sombere orgelmuziek luider.

Emily draaide zich om. Er schuifelde een groepje mensen door het gangpad. Het waren Ali's ouders, haar broer, haar opa en oma en nog een paar mensen die waarschijnlijk ook familie waren. De rij werd gesloten door twee jongens met rood haar die Emily herkende als Sam en Russell, neven van Ali. Ze kwamen vroeger altijd 's zomers bij Ali thuis logeren. Emily had ze al jaren niet meer gezien, en ze vroeg zich af of ze nog net zo makkelijk beet te nemen waren als vroeger.

De familie ging op de voorste rij zitten en wachtte tot de muziek ophield.

Toen Emily naar hen zat te staren, zag ze iets bewegen. Een van de puisterige, roodharige neven zat naar hen te kijken. Emily wist vrijwel zeker dat het Sam was – hij was altijd de grootste nerd van de twee geweest. Hij keek naar de meiden en trok langzaam en flirterig een wenkbrauw op. Emily wendde snel haar blik af.

Hanna gaf een por in haar ribben. 'Echt niet,' fluisterde ze tegen de anderen.

Emily keek haar vragend aan, maar toen ging Hanna's blik naar de twee slungelige neven van Ali.

Ze snapten het allemaal tegelijk. 'Echt niet,' zeiden Emily, Spencer en Aria in koor.

Ze begonnen alle vier te giechelen. Maar toen dacht Emily erover na wat dat 'echt niet' eigenlijk inhield. Ze had er nooit bij stilgestaan, maar het was natuurlijk hartstikke gemeen. Toen ze om zich heen keek, zag ze dat de vriendinnen ook niet meer lachten. Ze wisselden een blik.

'Vroeger was het grappiger,' zei Hanna zachtjes. Emily leunde achterover. Misschien wist Ali toch niet alles. Goed, dit kon best eens de rottigste dag van haar leven zijn, ze vond het echt verschrikkelijk van Ali en ze werd knettergek van 'A', maar even voelde ze zich best lekker. Dat ze hier samen met haar oude vriendinnen zat, was als het piepkleine, voorzichtige begin van iets nieuws.

35

WACHT MAAR AF

Het orgel begon weer zijn sombere muziek te spelen en Ali's broer liep met de rest van de familie de kerk uit. Spencer, aangeschoten van een paar slokjes whisky, zag dat haar drie vroegere vriendinnen opgestaan waren en de rij uit schuifelden, en ze vroeg zich af of zij ook moest gaan.

Iedereen van Rosewood Day stond achter in de kerk, van de lacrossejongens tot de game-nerds die Ali in de brugklas zonder enige twijfel gepest zou hebben. De oude meneer Yew – die de liefdadigheidsfeesten op school organiseerde – stond in een hoekje te praten met meneer Kaplan van tekenen. Zelfs Ali's oudere hockeyvriendinnen waren teruggekomen van de verschillende universiteiten waaraan ze nu studeerden; ze stonden met betraande gezichten op een kluitje bij de deur. Spencer bekeek vluchtig alle bekenden en dacht aan al die mensen die ze van vroeger kende en die ze nooit meer zag. Een toen zag ze een hond. Een blindengeleidehond.

O, god.

Spencer pakte Aria's arm beet. 'Bij de uitgang,' fluisterde ze.

Aria kneep haar ogen tot spleetjes. 'Is dat…?'

'Jenna,' mompelde Hanna.

'En Toby,' vulde Spencer aan.

Emily werd spierwit. 'Wat doen díé nou hier?'

Spencer was te verbaasd om antwoord te geven. Jenna en Toby zagen er nog hetzelfde uit, en toch heel anders. Hij had langer haar dan vroeger en zij was... bloedmooi, met lang zwart haar en een grote Gucci-zonnebril.

Toby, de broer van Jenna, zag Spencer naar hen staren. Er verscheen een zure, afkeurende blik in zijn ogen. Spencer wendde snel haar hoofd af.

'Dat hij is gekomen...' fluisterde ze, zo zacht dat de anderen het niet konden horen.

Tegen de tijd dat het groepje was aangekomen bij de zware houten deuren die naar de afbrokkelende stenen trap voor de kerk leidden, waren Toby en Jenna al weg. Spencer kneep haar ogen dicht tegen het zonlicht en de felblauwe, wolkeloze hemel. Het was zo'n schitterende, kurkdroge herfstdag waarop je zin kreeg om te spijbelen, languit in een wei te gaan liggen en niet te denken aan wat je allemaal nog móést. Waarom gebeurden de vreselijkste dingen altijd op dat soort dagen?

Spencer voelde een hand op haar schouder en sprong geschrokken op. Het was een blonde, gezette politieagent. Ze gebaarde naar Hanna, Aria en Emily dat ze niet op haar moesten wachten.

'Ben jij Spencer Hastings?'

Ze knikte zwijgend.

De agent wreef in zijn enorme handen. 'Gecondoleerd met je verlies,' zei hij. 'Je was toch goed bevriend met Alison DiLaurentis?'

'Dank u. Ja, dat klopt.'

'Ik moet met je praten.' Hij pakte een kaartje uit zijn zak. 'Neem dit maar mee. De zaak wordt heropend, en aangezien jullie vriendinnen waren, zou je ons misschien kunnen helpen. Is het goed als ik over een paar dagen langskom?'

'Eh... ja,' stamelde Spencer. 'Als ik iets kan doen...'

Als een zombie haalde ze haar oude vriendinnen in, die met z'n allen onder een treurwilg stonden. 'Wat moest hij van je?' vroeg Aria.

'Ze willen mij ook spreken,' zei Emily snel. 'Het stelt toch niks voor?'

'Het zullen wel weer de oude bekende vragen zijn,' zei Hanna.

'Hij zal zich toch niet afvragen...' begon Aria, en ze keek nerveus naar de ingang van de kerk, waar Jenna stond met Toby en haar hond.

'Nee,' zei Emily snel. 'Daar kunnen we geen problemen mee krijgen. Nee, toch?'

Ze keken elkaar allemaal bezorgd aan.

'Natuurlijk niet,' zei Hanna na een hele tijd.

Spencer keek om zich heen naar de mensen die op het gazon zachtjes stonden te praten. Ze voelde zich beroerd na de confrontatie met Toby en Jenna. Ze had gedacht – gehoopt – dat ze hen nooit meer zou zien. Maar het was toch puur toeval dat die agent haar had aangesproken vlak nadat ze hen had zien staan? Spencer haalde snel haar pakje noodsigaretten tevoorschijn en stak er een op. Ze moest iets te doen hebben met haar handen.

Dan vertel ik iedereen over Het Voorval Met Jenna.

Jij bent er net zo schuldig aan als ik.

Maar mij heeft niemand gezien.

Spencer blies nerveus de rook uit en bekeek de aanwezigen. Er waren geen bewijzen. Einde verhaal. Tenzij...

'Dit was de ergste week van mijn leven,' zei Aria plotseling.

'Voor mij ook.' Hanna knikte.

'Dat heeft ook een positieve kant,' zei Emily toen met een hogere, nerveuze stem. 'Erger dan dit kan het namelijk niet worden.'

Toen ze achter de rouwstoet aan over het grindpad naar het parkeerterrein liepen, bleef Spencer plotseling staan. Haar vroegere vriendinnen hielden ook stil. Ze wilde iets tegen hen zeggen – niet over Ali of 'A' of over Jenna, Toby of de politie; ze wilde dolgraag zeggen dat ze hen al die jaren had gemist.

Maar voordat ze daaraan toekwam, ging Aria's telefoon.

'Wacht even...' mompelde Aria, en ze rommelde in haar tas op zoek naar haar mobieltje. 'Dat zal mijn moeder wel weer zijn.'

Toen begon Spencers gsm te trillen. En te rinkelen. En te piepen. En niet alleen die van haar, ook de toestellen van haar vriendinnen. De onverwachte, snerpende toontjes klonken extra luid in de sobere, zwijgende begrafenisstoet. De andere rouwenden wierpen het groepje boze blikken toe. Aria pakte haar telefoon om hem het zwijgen op te leggen en Emily worstelde met haar Nokia. Spencer wurmde haar mobieltje uit het zijvak van haar tas.

Hanna las het schermpje. 'Ik heb een nieuw bericht.'

'Ik ook,' fluisterde Aria.

'Idem,' echode Emily.

Spencer zag dat zij er ook een had. Iedereen drukte op BEKIJKEN.
Er viel een verbijsterde stilte.

'O, god,' fluisterde Aria toen.

'Het is van...' piepte Hanna.

Aria mompelde: 'Denken jullie dat ze bedoelt...'

Spencer slikte. Alle vier tegelijk lazen ze hun sms'je voor. Ze waren allemaal hetzelfde:

```
Ik ben er nog, bitches. En ik weet alles. —A
```

DANKWOORD

Ik heb veel te danken aan een fantastische groep mensen bij Alloy Entertainment. Ik ken ze al jaren, en zonder hen was dit boek er nooit geweest. Josh Bank, die zo ontzettend grappig, onweerstaanbaar en briljant is... en die mij jaren geleden een kans wilde geven, ook al verscheen ik onuitgenodigd en heel bot op de kerstborrel van zijn bedrijf. En ik bedank Ben Schrank, die me heeft aangemoedigd om aan dit project te beginnen en die me zeer waardevolle schrijfadviezen gaf. En natuurlijk Les Morgenstein, omdat hij in me geloofde. En ik bedank mijn fantastische redacteur Sara Shandler, voor haar vriendschap en toegewijde hulp bij de totstandkoming van deze roman.

Ik ben Elise Howard en Kristin Marang van HarperCollins dankbaar voor hun steun, inzicht en enthousiasme. Grote dank gaat uit naar Jennifer Rudolph Walsh van William Morris, voor de magische dingen die zij tot stand wist te brengen.

Ook bedank ik Doug en Fran Wilkens voor een heerlijke zomer in Pennsylvania, en Colleen McGarry die herinneringen met me heeft opgehaald aan onze privégrapjes op de middelbare school, vooral die over onze fictieve band – waarvan ik de naam hier niet zal noemen. En dank aan mijn ouders, Bob en Mindy Shepard, voor hun hulp bij de lastige plotwendingen en hun aanmoediging om altijd mezelf te blijven, hoe maf ik soms ook kan zijn. En ik weet niet wat ik had gemoeten zonder mijn zus Ali, die het met me eens is dat alle jongens in IJsland mietjes zijn die op kleine homopaardjes rondrijden, en die het goedvindt dat een bepaald personage in dit boek naar haar is vernoemd.

En tot slot gaat mijn dank uit naar mijn man Joel, omdat hij zo lief, gek en geduldig is geweest en bovendien iedere proefversie van dit boek heeft gelezen (zonder tegenzin!) en me goed advies heeft gegeven – wat maar aantoont dat mannen misschien wel meer begrijpen van de innerlijke strijd van vrouwen dan wij denken.